UMA BREVE HISTÓRIA DO TEMPO

UMA BREVE HISTÓRIA DO TEMPO

STEPHEN HAWKING

Tradução de Cássio de Arantes Leite

Revisão técnica de Amâncio Friaça
Astrofísico do Instituto de Astronomia, Geofísica e Ciências Atmosféricas da USP

TÍTULO ORIGINAL
A Brief History of Time

PREPARAÇÃO
Ângelo Lessa

REVISÃO
Isabela Fraga
Luara França

DIAGRAMAÇÃO
Filigrana

ILUSTRAÇÕES
Ron Miller

Imagem da p. 57: Nasa, ESA, S. Beckwith (STScI) e equipe The Hubble Heritage (STScI/AURA)

Imagem da p. 123: Nasa, ESA e Digitized Sky Survey 2. Crédito: Davide De Martin (ESA/Hubble)

CIP-BRASIL. CATALOGAÇÃO-NA-FONTE
SINDICATO NACIONAL DOS EDITORES DE LIVROS, RJ

H325g

Hawking, S. W. (Stephen W.), 1942-
Uma breve história do tempo/Stephen Hawking; ilustração Ron Miller; tradução Cássio de Arantes Leite. - 1. ed. - Rio de Janeiro: Intrínseca, 2015.
256 p.: il.; 23 cm.

Tradução de: A Brief History of Time
Inclui índice
ISBN 978-85-8057-646-7

1. Física. 2. Espaço e tempo. 3. Cosmologia. I. Título.

14-17908 CDD: 523.1
CDU: 524

[2015]

Editora Intrínseca Ltda.
Rua Marquês de São Vicente, 99, 3º andar
22451-041 – Gávea
Rio de Janeiro – RJ
Tel./Fax: (21) 3206-7400
www.intrinseca.com.br

SUMÁRIO

PREFÁCIO

Não escrevi um prefácio à edição original de *Uma breve história do tempo*. Foi Carl Sagan quem escreveu. Em vez disso, escrevi um texto curto intitulado "Agradecimentos", no qual fui aconselhado a agradecer a todo mundo. Só que algumas fundações que me deram apoio não ficaram muito contentes ao ser mencionadas, pois isso levou a um enorme aumento do número de pedidos de subsídio para pesquisa.

Acho que ninguém — nem meus editores, nem meu agente, nem eu mesmo — esperava que o livro fosse tão bem-sucedido. Ele permaneceu na lista de mais vendidos do *Sunday Times* londrino por 237 semanas, mais do que qualquer outro livro (aparentemente, a Bíblia e Shakespeare não contam). Já foi traduzido para mais ou menos quarenta idiomas e vendeu cerca de um exemplar para cada 750 homens, mulheres e crianças no planeta. É como Nathan Myhrvold (um antigo pós-doutorando meu) comentou: vendi mais livros sobre física do que a Madonna sobre sexo.

O êxito de *Uma breve história do tempo* indica que existe um amplo interesse pelas grandes questões como: De onde viemos? Por que o universo é do jeito que é?

Aproveitei a oportunidade para atualizar o livro e incluir novos resultados teóricos e observacionais que foram obtidos após a primeira edição (lançada no Dia da Mentira de 1988). Incluí um novo capítulo sobre buracos de minhoca e viagens no tempo. A teoria da relatividade geral de Einstein parece oferecer a possibilidade de criar e manter buracos de minhoca, pequenos tubos que conectam diferentes regiões do espaço-tempo. Nesse caso, talvez sejamos capazes de usá-los para viajar rapidamente pela galáxia ou para voltar no tempo. Claro, nunca encontramos ninguém do futuro (ou será que encontramos?), mas discuto uma possível explicação para isso.

Descrevo também o progresso feito nos últimos tempos na descoberta de "dualidades" ou correspondências entre teorias da física aparentemente distintas. Essas correspondências são um forte indicativo de que existe uma teoria unificada completa da física, mas sugerem também que talvez não seja possível expressá-la em uma única formulação fundamental. Em vez disso, talvez tenhamos que usar diferentes ponderações da teoria básica em situações diversas. Podemos comparar isso ao fato de sermos incapazes de representar a superfície da Terra em um único mapa e de precisarmos usar mapas distintos para regiões diferentes. Isso seria uma revolução em nossa concepção sobre a unificação das leis da ciência, mas não mudaria a questão mais importante: que o universo é governado por uma série de leis racionais que podemos descobrir e compreender.

No que diz respeito à observação, o acontecimento mais importante com certeza foi a medição de flutuações na radiação cósmica de fundo em micro-ondas feita pelo satélite Cobe (Cosmic Background Explorer), entre outras colaborações. Essas flutuações são as impressões digitais da criação, minúsculas irregularidades iniciais em um universo primitivo, liso* e uniforme que posteriormente evoluíram em galáxias, estrelas e todas as estruturas que vemos ao nosso redor. As formas dessas flutuações coincidem com as previsões da proposição de que o universo não tem contornos ou bordas na direção imaginária do tempo; mas observações posteriores serão necessárias para distinguir essa proposição de outras explicações possíveis para as flutuações na radiação cósmica de fundo. Entretanto, daqui a alguns anos deveremos saber se podemos acreditar que vivemos em um universo completamente contido em si mesmo e sem início nem fim.

Stephen Hawking

---

* *Smooth*, no original; opõe-se a *lumpy*, aqui traduzido por "inomogêneo". (N. do T.)

1

Nossa imagem do universo

CERTA VEZ, UM RENOMADO CIENTISTA (ALGUNS DIZEM QUE FOI Bertrand Russell) proferiu uma palestra sobre astronomia. Ele descreveu o modo como a Terra orbita o Sol e como o Sol, por sua vez, orbita o centro de uma vasta coleção de estrelas que chamamos de nossa galáxia. Ao fim da palestra, uma senhorinha no fundo da sala levantou-se e disse: "O que o senhor acabou de falar é bobagem. Na verdade, o mundo é um prato achatado apoiado no dorso de uma tartaruga gigante." O cientista abriu um sorriso de superioridade antes de perguntar: "No que a tartaruga está apoiada?" "O senhor é muito esperto, rapaz, muito esperto", respondeu a mulher. "Mas tem tartarugas até lá embaixo!"

A maioria das pessoas acharia um tanto ridícula a imagem do nosso universo como uma torre infinita de tartarugas, mas por que acreditamos saber mais do que isso? O que sabemos sobre o universo, e como sabemos? De onde ele veio e para onde está indo? O universo teve um começo? Se teve, o que aconteceu *antes*? Qual é a natureza do tempo? Um dia ele vai chegar ao fim? Podemos voltar no tempo? Avanços recentes na física, em parte possibilitados por novas tecnologias fantásticas, sugerem respostas a algumas dessas questões tão antigas. Um dia, talvez essas respostas pareçam tão óbvias para nós quanto a Terra orbitando o Sol — ou talvez tão ridículas quanto uma torre de tartarugas. Só o tempo (seja lá o que isso for) dirá.

Já em 340 a.C., o filósofo grego Aristóteles foi capaz de apresentar, em sua obra *Sobre o céu*, dois bons argumentos para a crença de que a Terra era uma esfera redonda, e não um prato achatado. Primeiro: ele percebeu que os eclipses lunares eram causados pela Terra, ao se posicionar entre o Sol e a Lua. A sombra da Terra no satélite era sempre redonda, o que só aconteceria se nosso planeta fosse esférico. Se fosse um disco chato, a sombra seria alongada e elíptica, a menos que o eclipse ocorresse sempre em uma época em que o Sol ficasse diretamente sob o centro do disco. Segundo: os gregos sabiam, por suas viagens, que a estrela Polar aparecia em uma parte mais baixa do céu quando vista do sul do que quando avistada de regiões mais setentrionais. (Uma vez que a estrela Polar fica no zênite do polo norte, ela parece estar diretamente acima de um observador nesse ponto geográfico, mas, para uma pessoa olhando do equador, parece bem próxima do horizonte.) Pela diferença na posição aparente da estrela Polar no Egito e na Grécia, Aristóteles até apresentou uma estimativa de que a circunferência da Terra era de quatrocentos mil estádios. Não se sabe a medida exata correspondente a um estádio, mas é provável que fosse algo em torno de 180 metros, o que faria da estimativa de Aristóteles mais ou menos o dobro do número aceito atualmente. Os gregos tinham ainda um terceiro argumento de que a Terra devia ser redonda: por que outro motivo veríamos primeiro as velas de um navio se aproximando no horizonte e só depois o casco?

Aristóteles achava que a Terra era estacionária e que o Sol, a Lua, os planetas e as estrelas moviam-se em órbitas circulares ao redor dela. Ele acreditava nisso porque sentia, por motivos místicos, que a Terra era o centro do universo e que o movimento circular era o mais perfeito. No século II d.C., essa ideia foi aperfeiçoada por Ptolomeu em um modelo cosmológico completo. Nosso planeta ficava no centro, cercado por oito esferas que incluíam a Lua, o Sol, as estrelas e os cinco planetas conhecidos na época: Mercúrio, Vênus, Marte, Júpiter e Saturno [Figura 1.1]. Os planetas moviam-se em círculos menores ligados a suas respectivas esferas, o que explicava as trajetórias um tanto complicadas observadas no céu. A esfera mais exterior abarcava as estrelas denominadas fixas, que sempre ficam nas mesmas posições em relação às outras, mas giram juntas pelo céu. O que havia além da última esfera nunca ficou muito claro, mas sem dúvida não era parte do universo observável pela humanidade.

O modelo de Ptolomeu ofereceu um sistema razoavelmente preciso para prever as posições dos corpos celestes no firmamento. No entanto, a fim de fazê-lo de forma correta, Ptolomeu precisou aventar a hipótese de que a Lua seguia uma trajetória que às vezes a deixava duas vezes mais próxima da Terra. E isso significava que a Lua devia, de vez em quando, parecer duas vezes maior! Ptolomeu reconhecia essa falha, mas ainda assim, de modo geral, seu modelo foi aceito — embora não de modo universal. A Igreja cristã o adotou como a imagem do universo que estava de acordo com as Escrituras, pois tinha a grande vantagem de deixar bastante espaço além da esfera de estrelas fixas para o céu e o inferno.

Contudo, um modelo mais simples foi proposto em 1514 pelo padre polonês Nicolau Copérnico. (No início, talvez devido ao medo de ser estigmatizado como herege pela Igreja, Copérnico divulgou seu modelo sob anonimato.) Sua ideia era a de que o Sol ficava estacionário no centro e a Terra e os planetas se moviam em órbitas circulares em torno dele. Quase um século se passou até que essa ideia fosse levada a sério. Então, dois astrônomos — o alemão Johannes Kepler e o italiano Galileu Galilei — começaram a apoiar publicamente a teoria copernicana, a despeito do fato de que as órbitas que ela previa não casavam muito bem com os resultados

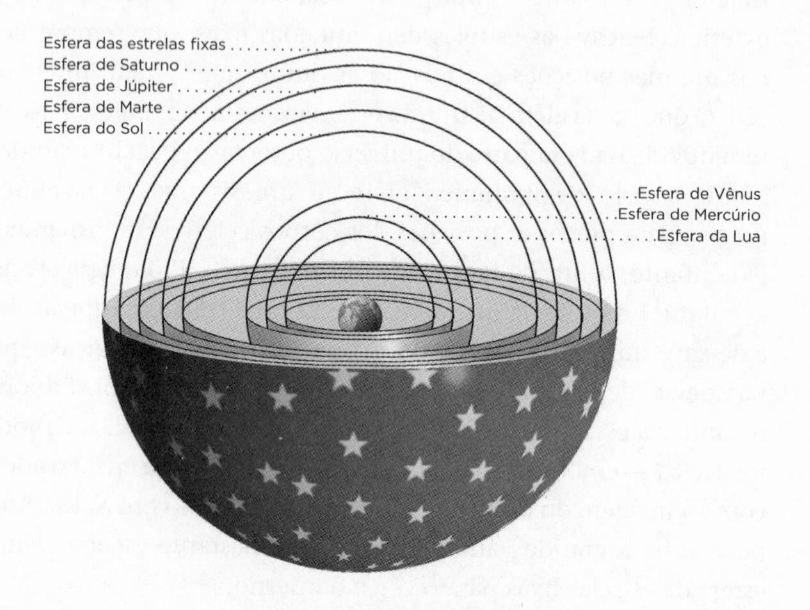
Esfera das estrelas fixas
Esfera de Saturno
Esfera de Júpiter
Esfera de Marte
Esfera do Sol
Esfera de Vênus
Esfera de Mercúrio
Esfera da Lua

FIGURA 1.1

observáveis. O golpe de misericórdia na teoria aristotélica/ptolomaica veio em 1609. Nesse ano, Galileu começou a observar o céu noturno com um telescópio, que acabara de ser inventado. Quando olhou para Júpiter, descobriu que o planeta era acompanhado por diversos pequenos satélites ou luas que orbitavam à sua volta. Isso significava que nem tudo tinha de orbitar diretamente a Terra, como Aristóteles e Ptolomeu haviam pensado. (Claro que ainda era possível acreditar que a Terra ficava estacionária no centro do universo e que as luas de Júpiter moviam-se em trajetórias muito complicadas em torno do nosso planeta, dando a impressão de que orbitavam Júpiter. Entretanto, a teoria de Copérnico era muito mais simples.) Nesse meio-tempo, Johannes Kepler modificara a teoria de Copérnico, sugerindo que os planetas não se moviam em círculos, mas em elipses (uma elipse é um círculo alongado). As previsões enfim passaram a bater com as observações.

Para Kepler, órbitas elípticas eram só uma hipótese *ad hoc* — e, aliás, das mais execráveis, porque elipses eram claramente menos perfeitas do que círculos. Tendo descoberto quase por acidente que órbitas elípticas enquadravam-se bem nas observações, ele não podia conciliá-las com sua ideia de que forças magnéticas faziam os planetas orbitar o Sol. Só bem mais tarde, em 1687, surgiu uma explicação, quando Sir Isaac Newton publicou *Philosophiae Naturalis Principia Mathematica*, provavelmente a obra mais importante já editada nas ciências físicas. Nela, Newton não apenas apresentou uma teoria de como os corpos se movem no espaço e no tempo, mas também desenvolveu a complexa matemática necessária para analisar esses movimentos. Além disso, Newton postulou uma lei da gravitação universal, segundo a qual todo corpo no universo seria atraído para todos os outros corpos por uma força que se intensificava quanto maior fosse a massa dos corpos e quanto mais perto estivessem uns dos outros. Essa era a mesma força que fazia os objetos caírem no chão. (A história de que Newton foi inspirado por uma maçã que o acertou na cabeça é quase certamente apócrifa.

Tudo que o próprio Newton disse foi que a ideia de gravidade lhe ocorreu quando ele estava sentado "em um estado de espírito contemplativo" e "foi ocasionada pela queda de uma maçã".) Depois ele demonstrou que, segundo essa lei, a gravidade faz a Lua se mover em uma órbita elíptica em torno da Terra e faz todos os planetas seguirem trajetórias elípticas em torno do Sol.

O modelo copernicano se livrou das esferas celestes ptolomaicas e, com elas, da ideia de que o universo tinha um contorno natural. Uma vez que as "estrelas fixas" não pareciam mudar de posição — exceto por uma rotação no céu, causada pelo giro da Terra em seu próprio eixo —, foi natural supor que as estrelas fixas eram objetos como nosso Sol, embora bem mais distantes.

Newton percebeu que, segundo sua teoria da gravitação, as estrelas deviam se atrair mutuamente. Desse modo, parecia que, por essência, elas não poderiam permanecer imóveis. Elas não cairiam umas nas outras em determinado momento? Em uma carta escrita em 1691 para Richard Bentley, outro grande pensador da época, Newton argumentou que isso de fato aconteceria se houvesse um número finito de estrelas distribuídas por uma região também finita do espaço. Mas ele deduziu que, por outro lado, se houvesse um número infinito de estrelas, distribuídas de modo mais ou menos uniforme por um espaço infinito, isso não aconteceria, pois não haveria nenhum ponto central onde pudessem cair.

Esse argumento é um exemplo das armadilhas que podemos encontrar quando falamos sobre o infinito. Em um universo infinito, todo ponto pode ser considerado o centro, pois todo ponto tem um número infinito de estrelas de cada lado. A abordagem correta, conforme só se percebeu muito mais tarde, é considerar a situação finita, na qual as estrelas caem todas umas sobre as outras, e então perguntar em que as coisas mudarão se, fora dessa região, mais estrelas forem acrescentadas de maneira mais ou menos uniforme. Segundo a lei de Newton, na média o acréscimo não faria a menor diferença; assim, as estrelas continuariam caindo com a mesma rapidez. Podemos acrescentar quantas estrelas quisermos, mas elas sempre cairão umas sobre as outras. Hoje sabemos que é impossível ter um modelo estático e infinito do universo no qual a gravidade sempre exerça atração.

O fato de ninguém ter sugerido que o universo estivesse se expandindo ou se contraindo é um reflexo interessante do clima geral do pensamento anterior ao século XX. De modo geral, aceitava-se que ou o universo sempre existira em um estado inalterado ou fora criado em um tempo finito no passado, mais ou menos da maneira como o vemos hoje. Em parte, isso talvez se devesse à tendência das pessoas de acreditar em verdades perpétuas, bem como no conforto de pensar que, ainda que venhamos a envelhecer e morrer, o universo é eterno e imutável.

Nem mesmo aqueles que notaram que a teoria da gravitação de Newton mostrava que o universo não podia ser estático pensaram em sugerir que ele pudesse estar em expansão. Em vez disso, tentaram modificar a teoria fazendo a força gravitacional ser repulsiva em distâncias muito grandes. Isso não afetou significativamente as previsões dos movimentos dos planetas, porém permitiu que uma distribuição infinita de estrelas permanecesse em equilíbrio — com as forças de atração entre as estrelas próximas contrabalançadas pelas forças repulsivas das que estavam longe. Entretanto, hoje acreditamos que um equilíbrio desses seria instável: se as estrelas em alguma região ficassem apenas um pouco mais próximas das outras, as forças de atração entre elas se tornariam mais intensas e suplantariam as forças repulsivas, de modo que as estrelas continuariam caindo umas sobre as outras. Por outro lado, se as estrelas ficassem um pouco mais distantes umas das outras, as forças repulsivas venceriam e as afastariam ainda mais.

Outra objeção a um universo estático e infinito costuma ser atribuída ao filósofo alemão Heinrich Olbers, que escreveu sobre essa teoria em 1823. Na verdade, vários contemporâneos de Newton haviam apontado o problema, e o artigo de Olbers não foi sequer o primeiro a apresentar argumentos plausíveis contra ela. No entanto, foi o primeiro a ser amplamente conhecido. A dificuldade é que, em um universo estático e infinito, quase todo campo de visão recairia sobre a superfície de uma estrela. Assim, seria de esperar que o céu fosse tão brilhante quanto o Sol, mesmo à noite. O contra-argumento de Olbers era que a luz de estrelas distantes se atenuaria ao ser absorvida pela matéria entre nós e elas. Contudo, se isso acontecesse, a matéria interveniente no caminho da luz se aqueceria até o ponto de brilhar com tanta intensidade quanto as estrelas. O único modo de evitar a conclusão de que o céu noturno devia ser tão brilhante quanto a superfície do Sol seria supor que as estrelas não brilhavam desde sempre, mas que haviam sido acesas em algum momento finito no passado. Nesse caso, a matéria absorvente talvez ainda não tivesse se aquecido ou a luz das estrelas distantes talvez ainda não tivesse chegado até nós. E isso nos leva à pergunta sobre o que poderia ter acendido as estrelas.

O início do universo já fora debatido bem antes disso, é claro. Segundo uma série de antigas cosmologias e a tradição judaica/cristã/muçulmana, ele teve início em um momento finito, e não muito distante, do passado. Um dos argumentos era a percepção de que é necessário haver uma "Causa Primeira" para explicar a existência do universo. (Dentro do universo, a causa de um evento era sempre algum outro evento anterior, mas a existência do próprio universo só podia ser explicada dessa maneira se ele tivesse um início.) Outro argumento foi proposto por santo Agostinho na obra *A cidade de Deus*. Ele observou que a civilização está progredindo e que nós lembramos quem realizou tal feito ou desenvolveu tal técnica. Então, o homem, e talvez também o universo, por extensão, não podia existir havia tanto tempo assim. Santo Agostinho admitia uma data de cerca de 5000 a.C. para a criação do universo, de acordo com o livro do Gênesis. (É interessante que isso não é tão longe do fim da última Era do Gelo, cerca de 10.000 a.C., que é quando a civilização começou de fato, segundo a arqueologia.)

Por outro lado, Aristóteles e a maioria dos demais filósofos gregos não gostavam da ideia de uma criação, pois isso cheirava demais a intervenção divina. Eles acreditavam, portanto, que a raça humana e o mundo ao seu redor sempre existiram e sempre existiriam. Os antigos já haviam considerado o argumento sobre o progresso e responderam dizendo que houvera dilúvios periódicos ou outros desastres que repetidas vezes lançaram a raça humana de volta ao início da civilização.

As questões sobre se o universo teve um início no tempo e se ele é limitado no espaço foram amplamente examinadas mais tarde pelo filósofo Immanuel Kant em sua monumental (e muito obscura) *Crítica da razão pura*, publicada em 1781. Ele chamava essas questões de antinomias (isto é, contradições) da razão pura porque achava que havia argumentos igualmente persuasivos para acreditar na tese — de que o universo teve um início — e na antítese — de que ele existira desde sempre. Seu argumento para a tese era de que, se o universo não teve um início, haveria um período infinito de tempo antes de qualquer evento, o que ele considerava absurdo. O argumento para a antítese dizia que, se o universo teve um início, haveria um infinito período de tempo antes disso, e, assim, por que o universo deveria começar em algum momento específico? Com efeito, suas defesas tanto da tese quanto da antítese são na verdade o mesmo argumento. Ambas se baseiam na pressuposição tácita de que o tempo continua indefinidamente para trás, tenha ou não o universo existido desde sempre. Como veremos, o conceito de tempo não tem significado antes do início do universo. Isso foi observado pela primeira vez por santo Agostinho. Quando lhe perguntavam "O que Deus fazia antes de criar o universo?", sua resposta não era "Ele estava preparando o inferno para pessoas que fizessem perguntas como essa". Em vez disso, respondia que o tempo era uma propriedade do universo criada por Deus e não existia antes dele.

Quando a maioria das pessoas acreditava em um universo essencialmente estático e imutável, a questão de ter ou não ocorrido um início pertencia, na verdade, à metafísica ou à teologia. Tudo que se observava podia ser explicado tanto pela teoria de que o universo sempre existira quanto pela teoria de que ele começou em algum momento finito do tempo, de forma que parecia ter existido desde sempre. No entanto, em 1929 Edwin Hubble fez a observação revolucionária de que, para onde quer que olhemos, as galáxias distantes estão se afastando depressa de nós. Em outras palavras, o universo está se expandindo. Isso significa que, antes, os objetos teriam estado mais próximos. Aliás, parece ter havido um momento, entre dez e vinte bilhões de anos atrás, em que todos eles estavam exatamente no mesmo ponto e, por conseguinte, a densidade do universo era infinita. Essa descoberta enfim trouxe a questão do início do universo para o âmbito da ciência.

As observações de Hubble sugeriam que houve um momento, chamado de Big Bang, em que o universo era infinitesimalmente pequeno e infinitamente denso. Sob tais condições, todas as leis da ciência, e, portanto, toda a capacidade de predizer o futuro, fracassariam. Se houve eventos anteriores a esse momento, eles não puderam afetar o que acontece no presente. Sua existência pode ser ignorada porque não teria consequências observacionais. Pode-se dizer que o tempo teve início no Big Bang, no sentido de que tempos anteriores simplesmente não teriam definição. É necessário enfatizar que esse início no tempo é muito diferente daqueles que eram considerados até então. Em um universo imutável, um início no tempo é algo que precisa ser imposto ao universo por um ser exterior; não há necessidade física de um início. Pode-se imaginar que Deus criou o universo em literalmente qualquer momento do passado. No entanto, se o universo está se expandindo, deve haver motivos físicos pelos quais teve de haver um início. Ainda é possível imaginar que Deus criou o universo no instante do Big Bang, ou mesmo depois, de maneira que pareça ter havido um Big Bang, porém não faria sentido supor que ele foi criado antes do Big Bang. Um universo em expansão não impede que haja um criador, mas impõe limites sobre quando esse trabalho pode ter sido executado!

A fim de falar sobre a natureza do universo e discutir questões como se ele tem um início ou um fim, devemos esclarecer o que é uma teoria científica. Vou adotar a visão simplória de que uma teoria é apenas um modelo do universo — ou uma parte restrita dele — e um conjunto de regras que relacionam as quantidades no modelo às observações que fazemos. Ela existe apenas em nossas mentes e não possui qualquer outra realidade (seja lá o que isso possa significar). Uma teoria é considerada boa se satisfaz dois requisitos: descreve de forma adequada um grande número de observações com base em um modelo que contém apenas poucos elementos arbitrários e faz previsões precisas sobre os resultados de futuras observações. Por exemplo, Aristóteles acreditava na teoria de Empédocles de que tudo era feito dos elementos: terra, ar, fogo e água. Isso era bastante simples, mas não se traduzia em previsões precisas. Já a teoria da gravitação de Newton se baseava em um modelo ainda mais simples, no qual os corpos atraíam uns aos outros com uma força proporcional a uma grandeza chamada de massa e inversamente proporcional ao quadrado da distância entre eles. E, contudo, ela prevê os movimentos do Sol, da Lua e dos planetas com alto grau de precisão.

Qualquer teoria física é sempre provisória, no sentido de que é apenas uma hipótese: nunca se pode prová-la. Não importa quantas vezes os resultados dos experimentos coincidam com alguma teoria, nunca se pode ter certeza de que o resultado não irá contradizê-la da vez seguinte. Em contrapartida, podemos refutar uma teoria ao encontrar uma única observação em desacordo com as previsões. Como o filósofo da ciência Karl Popper frisou, uma boa teoria se caracteriza por criar uma série de previsões que, a princípio, poderiam ser refutadas ou invalidadas pela observação. Cada vez que observamos novos experimentos coincidirem com as previsões, a teoria sobrevive e nossa confiança nela aumenta; porém, se em algum momento uma nova observação a contradiz, temos de abandonar a teoria ou modificá-la.

Pelo menos é isso que deveria acontecer, mas sempre se pode questionar a competência da pessoa que realizou a observação.

Na prática, muitas vezes imagina-se uma nova teoria que, na verdade, se trata de uma extensão da teoria precedente. Por exemplo, observações muito precisas do planeta Mercúrio revelaram uma pequena diferença entre seu movimento e as previsões da teoria gravitacional de Newton. A teoria da relatividade geral de Einstein previa um movimento levemente diferente da teoria de Newton. O fato de que as previsões de Einstein batiam com o que era observado, ao passo que as de Newton não, foi uma das confirmações cruciais da nova teoria. Entretanto, ainda usamos a teoria de Newton para todos os propósitos práticos, pois a diferença entre seus prognósticos e os da teoria da relatividade geral é muito pequena nas situações com que costumamos lidar. (A teoria de Newton também tem a grande vantagem de ser muito mais simples de se trabalhar do que a de Einstein!)

O objetivo final da ciência é fornecer uma teoria única que descreva todo o universo. No entanto, a abordagem que a maioria dos cientistas de fato segue é separar o problema em duas partes. Primeiro, há as leis que nos dizem como o universo muda com o tempo. (Se soubermos como é o universo em dado momento, essas leis físicas nos dirão como ele será em qualquer momento posterior.) Segundo, há a questão do estado inicial do universo. Algumas pessoas acham que a ciência deve se ocupar apenas da primeira parte; elas encaram o problema da situação inicial como um assunto para a metafísica ou a religião. Elas diriam que Deus, sendo onipotente, poderia ter começado o universo como bem lhe aprouvesse. Talvez seja verdade, mas, nesse caso, ele também poderia tê-lo levado a se desenvolver de maneira completamente arbitrária. Contudo, parece que optou por fazê-lo evoluir de forma bastante regular, de acordo com certas leis. Parece, portanto, igualmente razoável supor que também há leis governando o estado inicial.

Acontece que é muito difícil conceber uma teoria para descrever o universo em uma só tacada. Assim, dividimos o problema em pequenas partes e inventamos uma série de teorias parciais. Cada uma delas descreve e prevê uma gama limitada de observações, desprezando os efeitos de outras quantidades ou representando-as por conjuntos simples de números. Talvez essa abordagem esteja completamente errada. Se cada coisa no universo depende de todo o resto de maneira fundamental, talvez seja impossível chegar a uma solução completa investigando partes do problema de forma isolada. Não obstante, foi assim que progredimos no passado. Mais uma vez, o exemplo clássico é a teoria da gravitação de Newton, segundo a qual a força gravitacional entre dois corpos depende apenas de uma grandeza associada a cada corpo (sua massa), mas, por outro lado, independe da matéria de que os corpos são feitos. Assim, não é preciso uma teoria da estrutura e da constituição do Sol e dos planetas para calcular suas órbitas.

Hoje, os cientistas descrevem o universo a partir de duas teorias parciais básicas: a teoria da relatividade geral e a mecânica quântica. Elas são as grandes realizações intelectuais da primeira metade do século XX. A teoria da relatividade geral descreve a força da gravidade e a estrutura em grande escala do universo, ou seja, a estrutura em escalas que vão de apenas alguns quilômetros a medidas tão vastas quanto um milhão de milhões de milhões de milhões (1 seguido de 24 zeros) de quilômetros — o tamanho do universo observável. A mecânica quântica, por sua vez, lida com fenômenos em escalas minúsculas, tais como um milionésimo de milionésimo de centímetro. Infelizmente, porém, sabemos que essas duas teorias são incompatíveis entre si — não é possível que ambas estejam corretas. Um dos maiores esforços na física atual, e o tema principal deste livro, é a busca por uma nova teoria que irá incorporar ambas: uma teoria da gravitação quântica. Ainda não temos essa teoria e pode ser que estejamos longe de consegui-la, mas sem dúvida já conhecemos muitas das propriedades que ela deve exibir. E, como veremos nos próximos capítulos, já sabemos um bocado sobre as previsões que uma teoria da gravitação quântica deve fazer.

Ora, se acreditamos que o universo não é arbitrário, mas governado por leis bem definidas, ao fim teremos de combinar as teorias parciais em uma teoria unificada completa que descreverá tudo no universo. Entretanto, há um paradoxo fundamental na busca por uma teoria unificada completa como essa. As ideias sobre teorias científicas que delineamos nos parágrafos anteriores partem do pressuposto de que o homem é uma criatura racional livre para observar o universo como quiser e extrair deduções lógicas do que vê. Nesse esquema, é razoável supor que podemos progredir cada vez mais na direção das leis que governam nosso universo. Contudo, se de fato existe uma teoria unificada completa, é de se presumir que ela também determinaria nossas ações. E assim a própria teoria determinaria o resultado de nossa busca por ela! E por que ela deveria determinar que chegamos às conclusões corretas com base nas evidências? Ela não pode muito bem determinar que tiramos a conclusão errada? Ou nenhuma conclusão?

A única resposta que posso dar para esse problema se baseia no princípio da seleção natural de Darwin. A ideia é que em qualquer população de organismos capazes de se reproduzir haverá variações no material genético e na criação de novos indivíduos. Essas diferenças significarão que uns indivíduos serão mais capazes do que outros de tirar conclusões corretas sobre o mundo à sua volta e agir de forma apropriada. Tais indivíduos terão maior probabilidade de sobreviver e se reproduzir, e, assim, seu padrão de comportamento e pensamento passará a ser dominante. No passado, sem dúvida foi verdade que o que chamamos de inteligência e descoberta científica transmitiu uma vantagem na sobrevivência. Não está tão claro que esse ainda seja o caso: nossas descobertas científicas podem muito bem nos destruir, e, mesmo que não o façam, uma teoria unificada completa talvez não influencie tanto nossas chances de sobrevivência. Porém, contanto que o universo tenha evoluído de maneira regular, podemos esperar que as capacidades de raciocínio legadas a nós pela seleção natural sejam válidas também em nossa busca por uma teoria unificada completa e, assim, não nos conduzam às conclusões erradas.

Como as teorias parciais de que já dispomos são suficientes para fazer previsões precisas em quase todas as situações, exceto as extremas, a busca pela teoria final do universo parece difícil de justificar em termos práticos. (Vale ressaltar, porém, que argumentos semelhantes poderiam ter sido usados não só contra a relatividade como também contra a mecânica quântica, e essas teorias nos deram tanto a energia nuclear como a revolução microeletrônica!) A descoberta de uma teoria unificada completa, portanto, talvez não ajude na sobrevivência de nossa espécie. Pode ser que ela nem sequer afete nosso estilo de vida. Contudo, desde a aurora da civilização as pessoas não se dão por satisfeitas com a noção de que os eventos são desconectados e inexplicáveis. Sempre ansiamos por compreender a ordem subjacente do mundo. Hoje, ainda almejamos saber por que estamos aqui e de onde viemos. O desejo profundo da humanidade pelo conhecimento é justificativa suficiente para nossa busca contínua. E nossa meta não é nada menos do que uma descrição completa do universo onde vivemos.

2

ESPAÇO E TEMPO

NOSSAS IDEIAS ATUAIS SOBRE O MOVIMENTO DOS CORPOS REMONTAM a Galileu e Newton. Antes deles, as pessoas acreditavam em Aristóteles, para quem o estado natural de um corpo era estar em repouso e ele se movia apenas se impelido por uma força ou um impulso. Assim, um corpo pesado devia cair mais rápido do que um leve, pois sofreria uma atração maior em direção à Terra.

A tradição aristotélica também afirmava ser possível encontrar todas as leis que governam o universo através do puro pensamento: não era necessário verificar pela observação. Assim, até a chegada de Galileu, ninguém se deu ao trabalho de verificar se corpos de diferentes pesos caíam mesmo a velocidades diferentes. Dizem que Galileu demonstrou que a crença de Aristóteles era falsa soltando pesos da torre inclinada de Pisa. É quase certo que a história não seja verdadeira, mas Galileu de fato fez algo equivalente: ele rolou bolas de diferentes pesos por uma rampa suave. A situação é semelhante à de corpos pesados caindo na vertical, porém mais fácil de observar porque as velocidades são menores. As medições de Galileu indicaram que cada corpo aumentava sua velocidade ao mesmo ritmo, a despeito do peso. Por exemplo, se você soltar uma bola em uma rampa que desce um metro a cada dez metros percorridos, a bola rolará pela rampa a uma velocidade de cerca de um metro por segundo após um segundo, dois metros por segundo após dois segundos e assim por diante, não importa o peso da bola. Claro que um peso de chumbo cairia mais rápido do que uma pena, mas isso ocorre apenas porque a pena tem a velocidade reduzida pela resistência do ar. Se soltamos dois corpos que não sofrem grande resistência do ar, como dois pesos de chumbo diferentes, eles caem à mesma velocidade. Na Lua, onde não existe ar para retardar os objetos, o astronauta David R. Scott realizou o experimento da pena e do peso de chumbo* e verificou que ambos atingiram o chão ao mesmo tempo.

Newton usou as medições de Galileu como base para suas leis do movimento. Nos experimentos de Galileu, quando um corpo descia rolando por uma rampa, ele era influenciado pela mesma força (seu peso), e o efeito desta era gerar uma aceleração constante. Isso mostrou que o verdadeiro efeito de uma força é alterar continuamente a velocidade de um corpo, mais do que apenas colocá-lo em movimento, como se pensava antes. Significou também que, sempre que um corpo não é influenciado por força alguma, ele se manterá em movimento em uma linha reta à mesma velocidade. Essa ideia foi formulada de maneira explícita pela primeira vez nos *Principia Mathematica* de Newton, publicados em 1687, e é conhecida como a primeira lei de Newton. O que acontece com um corpo quando uma força age sobre ele é explicado pela segunda lei de Newton. Ela afirma que o corpo acelerará, ou mudará sua velocidade, a uma taxa proporcional à força. (Por exemplo, a aceleração será duas vezes maior se a força for duas vezes maior.) A aceleração é menor

* Na verdade, foi utilizado um martelo. (N. do T.)

quanto maior for a massa (ou quantidade de matéria) do corpo. (A mesma força atuando em um corpo com o dobro de massa produzirá metade da aceleração.) Um exemplo comum é fornecido por um carro: quanto mais potente o motor, maior a aceleração; mas, quanto mais pesado o carro, menor a aceleração para o mesmo motor. Além de suas leis de movimento, Newton descobriu uma lei para descrever a força da gravidade, segundo a qual um corpo atrai outro com uma força proporcional à massa de cada um. Assim, a força entre dois corpos seria duas vezes mais poderosa se um dos corpos (digamos, o corpo A) tivesse sua massa duplicada. Isso é o que devemos esperar, pois podemos pensar no novo corpo A como sendo feito de dois corpos com a massa original. Cada um atrairia o corpo B com a força original. Desse modo, a força total entre A e B seria duas vezes a força original. E, se, digamos, um dos corpos tivesse duas vezes a massa e o outro tivesse três vezes a massa, a força seria seis vezes mais poderosa. Agora podemos perceber por que todos os corpos caem a uma mesma velocidade: um corpo com o dobro do peso terá o dobro da força da gravidade puxando-o para baixo, mas também terá o dobro da massa. De acordo com a segunda lei de Newton, esses dois efeitos se anulam com exatidão, de modo que a aceleração será a mesma em todos os casos.

A lei da gravitação de Newton também nos informa que, quanto maior a distância entre os corpos, menor a força. Diz ainda que a atração gravitacional de uma estrela é exatamente um quarto da de uma estrela semelhante na metade da distância. Essa lei prevê as órbitas da Terra, da Lua e dos planetas com grande precisão. Se a lei estabelecesse que a atração gravitacional de uma estrela diminui ou aumenta mais depressa com a distância, as órbitas dos planetas não seriam elípticas, mas espirais, aproximando-se ou afastando-se do Sol.

A grande diferença entre as ideias de Aristóteles e as de Galileu e Newton é que Aristóteles acreditava em um estado de repouso preferencial, que qualquer corpo assumiria se não fosse impelido por alguma força ou impulso. Em particular, ele achava que a Terra estava em repouso. No entanto, das leis de Newton infere-se que não há um padrão único de repouso. Podemos dizer igualmente que o corpo A está em repouso e o corpo B está se movendo a uma velocidade constante em relação ao corpo A, ou que o corpo B está em repouso e o corpo A está se movendo. Por exemplo, se deixamos de lado por um momento a rotação da Terra e sua órbita em torno do Sol, podemos dizer que nosso planeta está em repouso e que um trem sobre ele viaja para o norte a 150 quilômetros por hora, ou que o trem está em repouso e a Terra se move para o sul a 150 quilômetros por hora. Se alguém realizasse experimentos com corpos em movimento dentro do trem, todas as leis de Newton ainda seriam válidas. Por exemplo, jogando pingue-pongue dentro do trem, descobriria que a bola obedece às leis de Newton exatamente como uma bola sobre uma mesa ao lado do trilho. Assim, não há como dizer se é o trem ou a Terra que está se movendo.

A ausência de um padrão absoluto de repouso significa que não é possível determinar se dois eventos que aconteceram em momentos diferentes ocorreram na mesma posição no espaço. Por exemplo, suponha que nossa bola de pingue-pongue no trem quique para cima e para baixo em uma linha reta, atingindo a mesa duas vezes no mesmo ponto com um segundo de intervalo. Para uma pessoa junto ao trilho, os quiques pareceriam ocorrer a quarenta metros um do outro, pois o trem teria avançado essa distância no trilho. Desse modo, a inexistência de repouso absoluto significa que não é possível atribuir a um evento uma posição absoluta no espaço, como Aristóteles acreditava. As posições dos eventos e as distâncias entre eles são diferentes para uma pessoa no trem e outra no trilho, e não há razão para preferir a posição de uma à da outra.

Newton ficou muito preocupado com essa ausência de posição absoluta, ou espaço absoluto, como era chamado, porque isso não estava de acordo com sua ideia de um Deus absoluto. De fato, ele se recusou a aceitar a ausência do espaço absoluto, ainda que isso fosse sugerido por suas leis. Muita gente criticou essa crença irracional, em especial o bispo George Berkeley, filósofo que acreditava que todos os objetos materiais e o espaço e o tempo são uma ilusão. Quando soube da sugestão de Berkeley, o famoso dr. Samuel Johnson exclamou "Refuto-a deste modo!", dando um chute em uma grande pedra.

Tanto Aristóteles quanto Newton acreditavam em tempo absoluto. Ou seja, eles acreditavam que seria possível medir sem erro o intervalo de tempo entre dois eventos e que esse tempo seria o mesmo a despeito de quem o medisse, desde que se usasse um bom relógio. O tempo seria completamente separado e independente do espaço. Isso é o que a maioria das pessoas tomaria por senso comum. Entretanto, tivemos de mudar nossas ideias sobre o espaço e o tempo. Embora nossos conceitos aparentemente derivados do senso comum funcionem bem quando lidamos com coisas como maçãs ou planetas, que se movem devagar se comparadas a outras, eles não funcionam em nada para coisas que se movem na velocidade da luz ou perto dela.

O fato de que a luz viaja a uma velocidade finita, porém muito alta, foi descoberto em 1676 pelo astrônomo dinamarquês Ole Christensen Rømer. Ele observou que os momentos em que as luas de Júpiter pareciam passar atrás do planeta não aconteciam a intervalos uniformes, como seria de se esperar se as luas dessem a volta em Júpiter a uma velocidade constante. À medida que a Terra e Júpiter orbitam em torno do Sol, a distância entre eles varia. Rømer notou que os eclipses das luas de Júpiter pareciam ocorrer mais tarde quanto mais distante estávamos de Júpiter. Ele argumentou que isso se dava porque a luz das luas levava mais tempo para nos alcançar quando estávamos mais longe. Contudo, suas medições das variações na distância entre a Terra e Júpiter não eram muito precisas, e por isso seu valor para a velocidade da luz foi de 225 mil quilômetros por segundo, comparado ao valor moderno de trezentos mil quilômetros por segundo. Entretanto, o feito de Rømer de não só provar que a luz viaja a uma velocidade finita, como também de medir essa velocidade, foi notável — e ocorreu onze anos antes de Newton publicar os *Principia Mathematica*.

Uma teoria apropriada da propagação da luz surgiu apenas em 1865, quando o físico britânico James Clerk Maxwell unificou as teorias parciais que até então haviam sido usadas para descrever as forças da eletricidade e do magnetismo. As equações de Maxwell previram que podia haver perturbações de tipo ondulatório no campo eletromagnético combinado e que essas forças viajariam a uma velocidade fixa, como ondulações em um lago. Se o comprimento dessas ondas (a distância entre uma crista e a seguinte) for de um metro ou mais, elas são o que hoje chamamos de ondas de rádio. Comprimentos de onda menores são conhecidos como micro-ondas (alguns centímetros) ou infravermelho (maiores que dez milésimos de centímetro). A luz visível tem um comprimento de onda entre apenas quarenta e oitenta milionésimos de centímetro. Comprimentos de onda ainda mais curtos são conhecidos como ultravioleta, raios X e raios gama.

A teoria de Maxwell previu que ondas de rádio ou de luz deviam viajar a uma velocidade fixa. Contudo, a teoria de Newton havia se livrado da ideia de repouso absoluto. Assim, se a luz supostamente viajava a uma velocidade fixa, era preciso dizer em relação a que essa velocidade fixa devia ser medida. Portanto, sugeriu-se que havia uma substância chamada "éter" presente em toda parte, mesmo no espaço "vazio". As ondas de luz deviam se deslocar pelo éter como ondas sonoras pelo ar, e, desse modo, a velocidade delas devia ser relativa ao éter. Movendo-se relativamente ao éter, observadores diferentes veriam a luz vindo na direção deles a velocidades distintas, mas a velocidade da luz relativa ao éter permaneceria fixa. Em particular, conforme a Terra se movesse pelo éter em sua órbita em torno do Sol, a velocidade da luz medida na direção do movimento da Terra pelo éter (quando estivéssemos nos movendo em direção à fonte da luz) devia ser mais alta do que a velocidade da luz perpendicular a esse movimento (quando não estivéssemos nos movendo em direção à fonte). Em 1887, Albert Michelson (que mais tarde seria o primeiro americano a receber o Prêmio Nobel de física) e Edward Morley conduziram um experimento muito cuidadoso na Case School of Applied Science, em Cleveland. Eles compararam a velocidade da luz na direção do movimento da Terra com a velocidade perpendicular ao movimento do planeta. Para sua grande surpresa, descobriram que eram exatamente iguais!

Entre 1887 e 1905, muitos tentaram explicar o resultado do experimento Michelson-Morley em termos de objetos se contraindo e relógios andando mais devagar ao se moverem pelo éter, em especial o físico holandês Hendrik Lorentz. Entretanto, em um famoso artigo científico de 1905, um até então desconhecido funcionário do escritório de patentes suíço, Albert Einstein, afirmou que toda a ideia de éter era desnecessária, contanto que abandonássemos a ideia de tempo absoluto. Uma observação semelhante foi feita semanas depois por um importante matemático francês, Henri Poincaré. Os argumentos de Einstein eram mais próximos da física do que os de Poincaré, que encarava o problema como uma questão matemática. Einstein costuma receber o crédito pela nova teoria, mas Poincaré é lembrado por ter seu nome ligado a uma parte importante dela.

O postulado fundamental da teoria da relatividade, como foi chamada, era que as leis da ciência deviam ser as mesmas para todos os observadores movendo-se livremente, qualquer que fosse a velocidade deles. Isso era verdade para as leis do movimento de Newton, mas agora a ideia passou a ser estendida para incluir a teoria de Maxwell e a velocidade da luz: todos os observadores devem medir a mesma velocidade da luz, por maior que seja a velocidade em que estejam se deslocando. Essa ideia simples tem algumas consequências notáveis. Talvez as mais conhecidas sejam a equivalência entre massa e energia, resumida na famosa equação de Einstein, $E = mc^2$ (em que E é energia, m é massa e c é a velocidade da luz), e a lei de que nada pode viajar acima da velocidade da luz. Em virtude da equivalência entre energia e massa, a energia que um objeto tem devido ao seu movimento contribuirá para sua massa. Em outras palavras, dificultará que ele ganhe velocidade. Esse efeito é de fato significativo apenas para objetos movendo-se a velocidades próximas à da luz. Por exemplo, a 10% da velocidade da luz a massa de um objeto é apenas 0,5% maior do que a normal, ao passo que a 90% da velocidade da luz ela seria o dobro da massa normal. À medida que um objeto se aproxima da velocidade da luz, sua massa cresce cada vez mais depressa, de modo que é preciso cada vez mais energia para acelerá-lo ainda mais. Na verdade, o objeto nunca atingirá a velocidade da luz porque nesse estágio sua massa teria se tornado infinita e, pela equivalência entre massa e energia, seria necessária uma quantidade infinita de energia para levá-lo até esse ponto. Por esse motivo, qualquer objeto normal está permanentemente confinado pela relatividade a se mover a velocidades menores do que a da luz. Apenas a luz, ou outras ondas que não têm massa intrínseca, podem se mover à velocidade da luz.

Uma consequência igualmente notável da relatividade é o modo como ela revolucionou nossas ideias a respeito do espaço e do tempo. Na teoria de Newton, se um pulso luminoso for enviado de um ponto a outro, diferentes observadores concordarão com o tempo do trajeto (uma vez que o tempo é absoluto), mas nem sempre concordarão quanto à distância viajada pela luz (uma vez que o espaço não é absoluto). Como a velocidade da luz é apenas a distância que ela viajou dividida pelo tempo que levou, diferentes observadores mediriam velocidades distintas. Na relatividade, por outro lado, todos os observadores *têm de* concordar sobre a rapidez com que a luz viaja. No entanto, mesmo assim eles não concordarão sobre a distância que a luz viajou, de modo que devem agora discordar também acerca do tempo que ela levou. (O tempo levado é a distância viajada pela luz — sobre a qual os observadores não concordam — dividida pela velocidade da luz — sobre a qual concordam.) Em outras palavras, a teoria da relatividade põe um fim à ideia de tempo absoluto! Parece que cada observador deve ter sua própria medição de tempo, registrada pelo relógio que usa, e que relógios idênticos carregados por observadores diferentes não necessariamente estão de acordo.

Ao enviar um pulso luminoso ou ondas de rádio, cada observador pode usar um radar para dizer onde e quando um evento ocorreu. Parte do pulso é refletido no evento, e o observador mede o momento em que recebe o eco. Dizemos, então, que o momento do evento fica a meio caminho entre o momento em que o pulso foi enviado e aquele em que o reflexo foi recebido de volta: a distância do evento é a metade do tempo levado para esse trajeto de ida e volta multiplicada pela velocidade da luz. (Um evento, nesse sentido, é algo que ocorre em um único ponto no espaço, em um ponto específico no tempo.) Essa ideia é mostrada na Figura 2.1, que é um exemplo de diagrama espaço-tempo. Usando esse procedimento, observadores se movendo relativamente um ao outro atribuirão momentos e posições diferentes ao mesmo evento. As medições de um observador não são mais corretas do que as de outro, porém todas estão relacionadas. Qualquer observador pode calcular de forma precisa qual momento e qual posição o outro observador atribuirá a um evento, contanto que saiba a velocidade relativa do outro observador.

Atualmente, usamos apenas esse método para calcular distâncias com exatidão, pois podemos medir o tempo com mais precisão do que o comprimento. Para todos os efeitos, o metro é definido como a distância percorrida pela luz em 0,000000003335640952 segundo, conforme medido por um relógio de césio. (O motivo para esse número em particular é que ele corresponde à definição histórica do metro — em termos de duas marcas em uma barra de platina específica que é mantida em Paris.) Da mesma forma, podemos usar uma unidade de comprimento nova e mais conveniente chamada segundo-luz. Ela é definida como a distância que a luz viaja em um segundo. Na teoria da relatividade, hoje definimos a distância em termos do tempo e da

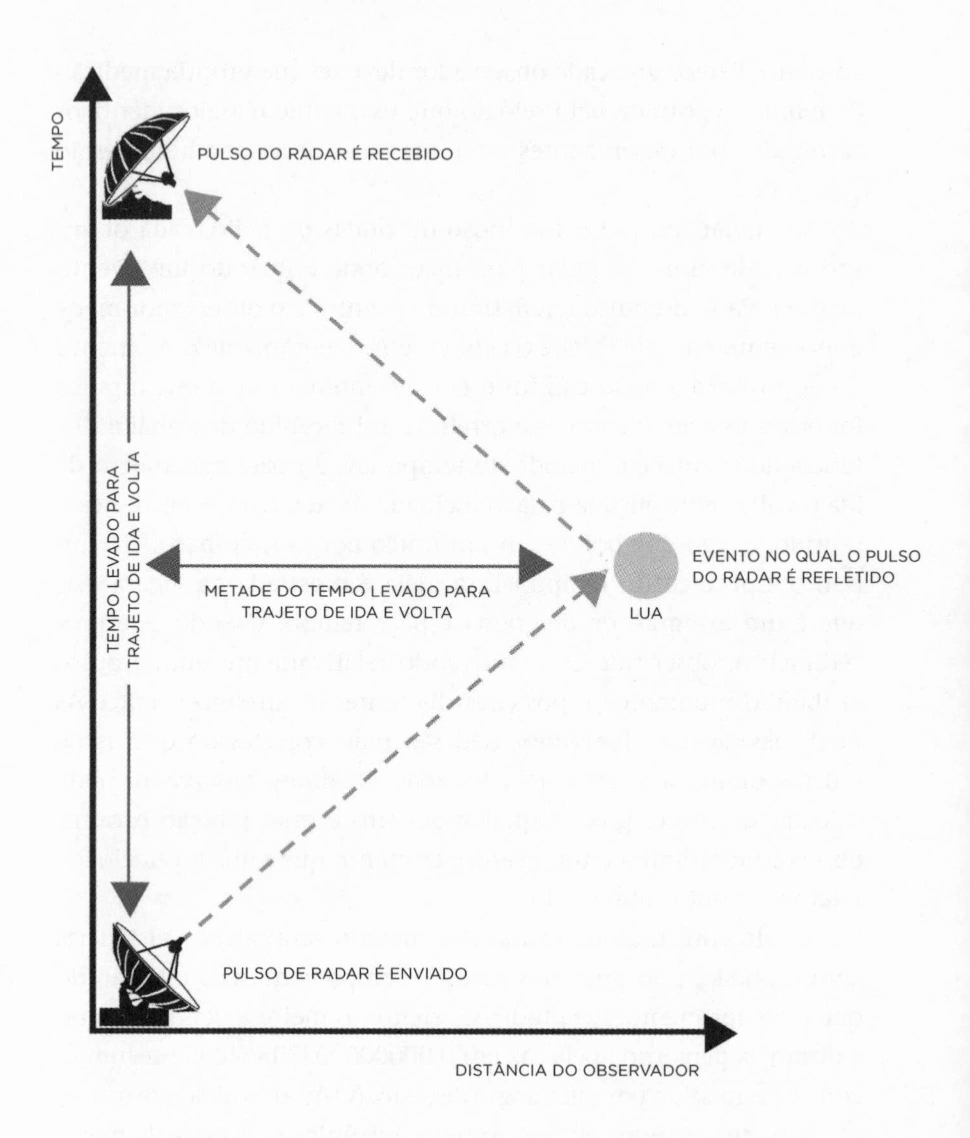

FIGURA 2.1. O TEMPO É MEDIDO NA LINHA VERTICAL, E A DISTÂNCIA DO OBSERVADOR É MEDIDA NA LINHA HORIZONTAL. O CAMINHO DO OBSERVADOR ATRAVÉS DO ESPAÇO E DO TEMPO É MOSTRADO COMO A LINHA VERTICAL À ESQUERDA. OS CAMINHOS DOS RAIOS LUMINOSOS INDO E VOLTANDO DO EVENTO SÃO REPRESENTADOS PELAS LINHAS DIAGONAIS.

velocidade da luz; logo, automaticamente, cada observador medirá a luz como tendo a mesma velocidade (por definição, um metro por 0,000000003335640952 segundo). Não há necessidade de introduzir a ideia de éter, cuja presença não pode mesmo ser detectada, como mostrou o experimento Michelson-Morley. Contudo, a teoria da relatividade nos obriga a mudar de modo fundamental nossas ideias de espaço e tempo. Devemos aceitar que o tempo não é completamente separado nem independente do espaço, mas se combina com ele para formar um objeto chamado espaço-tempo.

O fato de que podemos descrever a posição de um ponto no espaço com três números, ou coordenadas, é uma questão de experiência mútua. Por exemplo, podemos dizer que um ponto em uma sala está a dois metros de uma parede, a um metro de outra e um metro e meio acima do chão. Ou podemos especificar que um ponto está a determinada latitude e longitude e a determinada altura do nível do mar. Somos livres para usar quaisquer três coordenadas adequadas, embora o alcance de sua validade seja limitado. Não teríamos como descrever a posição da Lua em termos de quilômetros a norte e a oeste da famosa praça londrina Piccadilly Circus e de metros acima do nível do mar. Em vez disso, ela deve ser descrita em termos da distância em relação ao Sol, ao plano das órbitas planetárias e ao ângulo entre a linha unindo a Lua ao Sol e a linha unindo o Sol a uma estrela próxima, como a Alfa Centauri. Mesmo essas coordenadas não seriam de grande utilidade para descrever a posição do Sol em nossa galáxia ou a posição de nossa galáxia no grupo local de galáxias. Na verdade, podemos descrever o universo inteiro em termos de um conjunto de áreas sobrepostas. Em cada área, podemos usar uma série diferente de três coordenadas para especificar a posição de um ponto.

Um evento é algo que acontece em um ponto e um momento específicos. Assim, podemos defini-lo segundo quatro números ou coordenadas. Mais uma vez, a escolha das coordenadas é arbitrária; podemos usar quaisquer três coordenadas espaciais bem definidas e qualquer medida de tempo. Na relatividade, não há distinção real entre as coordenadas de espaço e tempo, assim como não há diferença real entre duas coordenadas espaciais quaisquer. Poderíamos escolher uma nova série de coordenadas em que, digamos, a primeira coordenada espacial fosse uma combinação das antigas primeira e segunda coordenadas espaciais. Por exemplo, em vez de medir a posição de um ponto na Terra em quilômetros a norte e a oeste da Piccadilly Circus, poderíamos usar quilômetros a nordeste e a noroeste da praça. Da mesma forma, na relatividade, poderíamos usar uma nova coordenada de tempo que fosse o antigo tempo (em segundos) mais a distância (em segundos-luz) a norte da Piccadilly Circus.

Muitas vezes, convém pensar que as quatro coordenadas de um evento especificam sua posição em um espaço quadridimensional chamado espaço-tempo. É impossível imaginar um espaço quadridimensional. Pessoalmente, já acho bastante difícil imaginar um espaço tridimensional! Porém, é fácil desenhar diagramas de espaços bidimensionais, como a superfície da Terra. (A superfície da Terra é bidimensional porque a posição de um ponto pode ser especificada por duas coordenadas: latitude e longitude.) De modo geral, usarei diagramas em que o tempo aumenta para cima e uma das dimensões espaciais é mostrada horizontalmente. As outras dimensões espaciais são ignoradas ou, às vezes, uma delas é indicada pela perspectiva. (Chamam-se diagramas espaço-tempo, como na Figura 2.1.) Por exemplo, na Figura 2.2 o tempo é medido para cima em anos e a distância ao longo da linha do Sol até Alfa Centauri é medida na horizontal em milhas. As trajetórias do Sol e de Alfa Centauri através do espaço-tempo são mostradas como as linhas verticais do diagrama. Um raio luminoso do Sol segue a linha diagonal e leva quatro anos para ir do Sol a Alfa Centauri.

Como vimos, as equações de Maxwell previram que a velocidade da luz deveria ser a mesma qualquer que fosse a velocidade da fonte, e isso foi confirmado por medições precisas. Então, se um pulso luminoso for emitido em um momento específico e em um ponto específico no espaço, à medida que o tempo passar ele se propagará

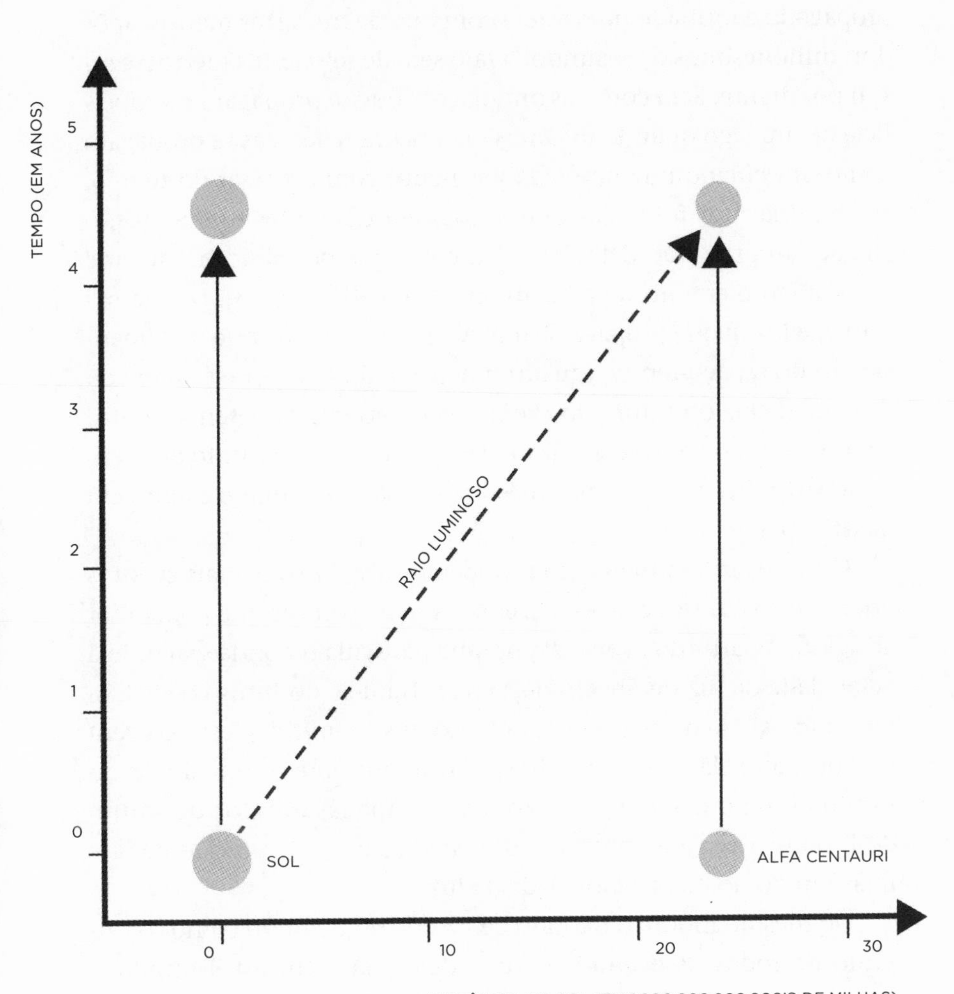
TEMPO (EM ANOS)
5
4
3
2
1
0
RAIO LUMINOSO
SOL
ALFA CENTAURI
0
10
20
30
DISTÂNCIA DO SOL (EM 1.000.000.000.000'S DE MILHAS)

FIGURA 2.2

como uma esfera de luz de tamanho e posição independentes da velocidade da fonte. Após um milionésimo de segundo, a luz terá se propagado e formado uma esfera com raio de trezentos metros; após dois milionésimos de segundo, o raio será de seiscentos metros; e assim por diante. Será como as ondulações que se propagam na superfície de um lago quando jogamos uma pedra nele. Elas se propagam como um círculo que fica cada vez maior com o passar do tempo. Se empilharmos fotos das ondulações em diferentes momentos, o círculo em expansão delimitará um cone cuja ponta fica no lugar e no momento em que a pedra atingiu a água [Figura 2.3]. Da mesma forma, a luz que se propaga de um evento forma um cone (tridimensional) no espaço-tempo (quadridimensional). Esse cone é chamado de cone de luz do futuro do evento. Podemos ainda desenhar outro cone, chamado de cone de luz do passado, que é o conjunto de eventos a partir dos quais um pulso de luz é capaz de atingir o evento em questão [Figura 2.4].

Considerando um evento P, podemos dividir os demais eventos do universo em três classes. Dizemos que os eventos que podem ser atingidos a partir do evento P por uma partícula ou onda viajando à velocidade da luz ou abaixo dela encontram-se no futuro de P. Eles residirão dentro da esfera de luz em expansão emitida desde o evento P ou sobre ela. Assim, residirão dentro ou sobre o cone de luz do futuro de P no diagrama espaço-tempo. Apenas eventos no futuro de P podem ser afetados pelo que acontece em P, porque nada é mais rápido do que a velocidade da luz.

Do mesmo modo, o passado de P pode ser definido como o conjunto de todos os eventos a partir dos quais é possível atingir o evento P viajando na velocidade da luz ou abaixo dela. É, portanto, o conjunto de eventos que podem afetar o que acontece em P. Dizemos que os eventos que não residem no futuro nem no passado de P residem em outra parte de P [Figura 2.5]. O que acontece em tais eventos não pode afetar nem ser afetado pelo que ocorre em P. Por exemplo, se o Sol parasse de brilhar neste exato instante, isso

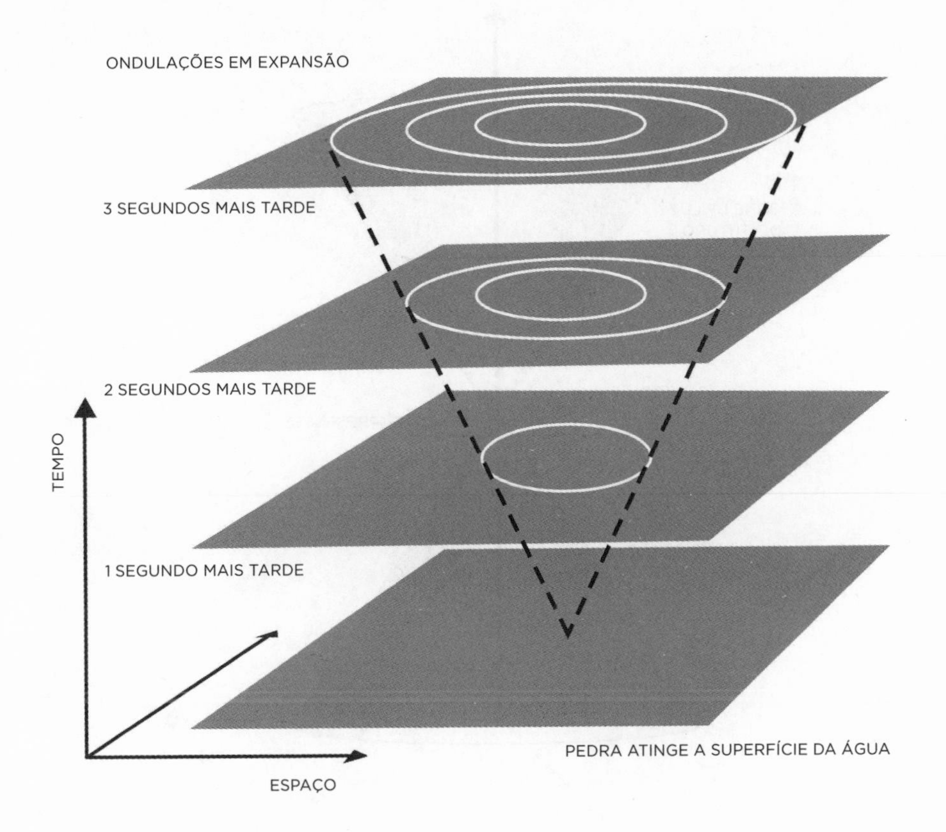
ONDULAÇÕES EM EXPANSÃO
3 SEGUNDOS MAIS TARDE
2 SEGUNDOS MAIS TARDE
TEMPO
1 SEGUNDO MAIS TARDE
PEDRA ATINGE A SUPERFÍCIE DA ÁGUA
ESPAÇO

FIGURA 2.3

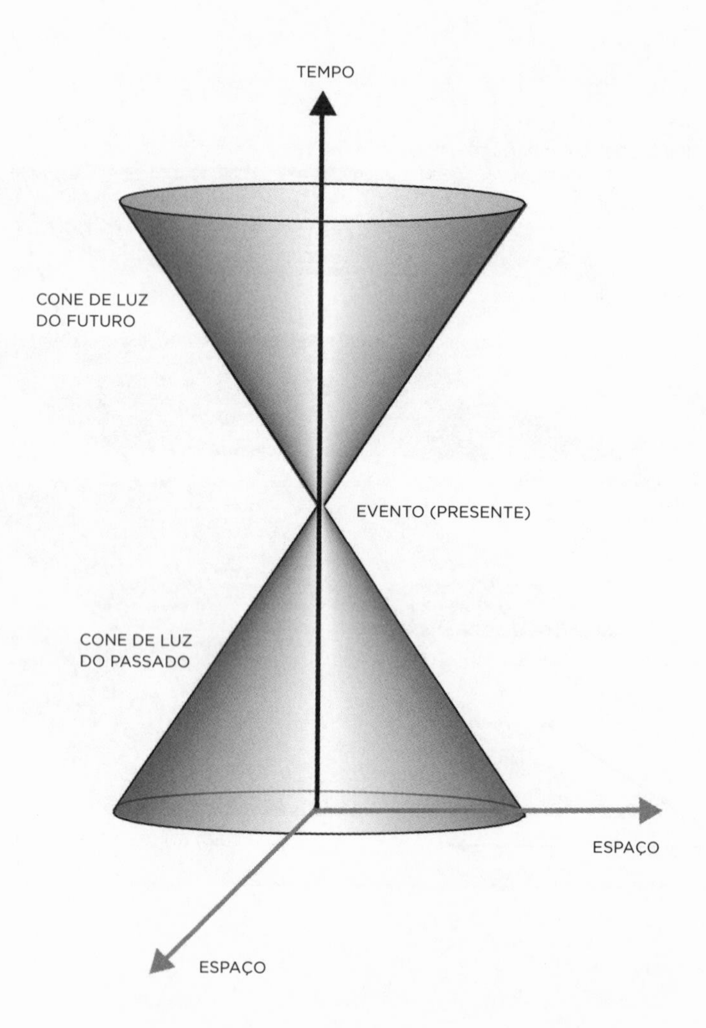
TEMPO
CONE DE LUZ
DO FUTURO
EVENTO (PRESENTE)
CONE DE LUZ
DO PASSADO
ESPAÇO
ESPAÇO

FIGURA 2.4

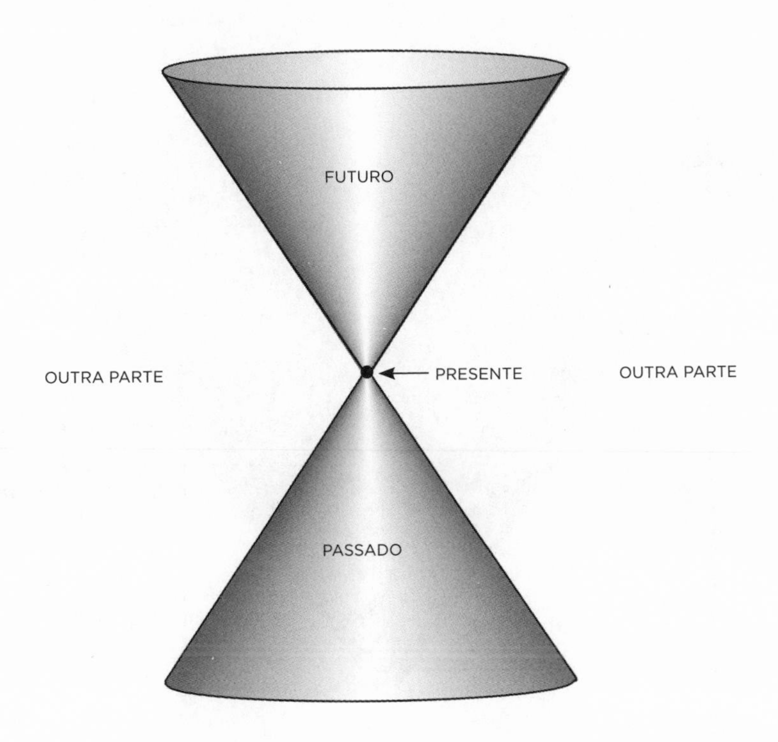

FIGURA 2.5

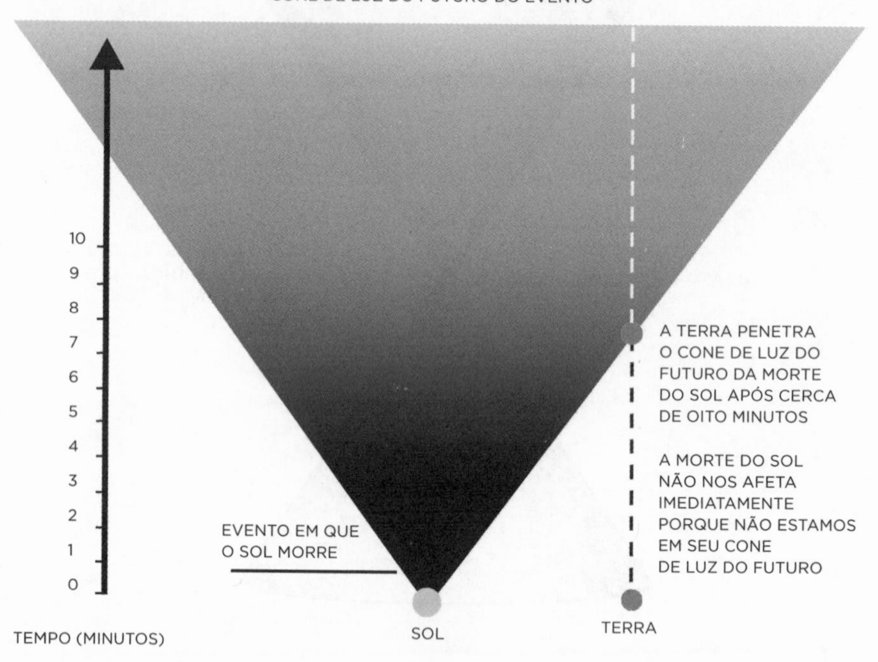
CONE DE LUZ DO FUTURO DO EVENTO
10
9
8
7
6
5
4
3
2
1
0
TEMPO (MINUTOS)
EVENTO EM QUE O SOL MORRE
SOL
TERRA
A TERRA PENETRA O CONE DE LUZ DO FUTURO DA MORTE DO SOL APÓS CERCA DE OITO MINUTOS
A MORTE DO SOL NÃO NOS AFETA IMEDIATAMENTE PORQUE NÃO ESTAMOS EM SEU CONE DE LUZ DO FUTURO

FIGURA 2.6

não afetaria as coisas na Terra no presente momento porque elas estariam em alguma outra parte do evento em que o Sol se extinguiu [Figura 2.6]. Só saberíamos do fato após oito minutos, o tempo que leva para a luz do Sol chegar até nós. Apenas então os eventos na Terra residiriam no cone de luz do futuro do evento no qual o Sol se extinguiu. Da mesma forma, não sabemos o que está acontecendo exatamente agora em regiões mais remotas do universo: a luz que vemos de galáxias distantes partiu delas milhões de anos atrás — no caso do objeto mais distante que já vimos, sua luz partiu há cerca de oito bilhões de anos.* Assim, quando olhamos para o universo, nós o vemos como ele era no passado.

Se desprezarmos os efeitos gravitacionais, como Einstein e Poincaré fizeram em 1905, teremos o que se chama de teoria da relatividade restrita. Para todo evento no espaço-tempo devemos construir um cone de luz (o conjunto de todas as trajetórias possíveis da luz no espaço-tempo emitido nesse evento), e, como a velocidade da luz é a mesma em todo evento e em toda direção, todos os cones de luz serão idênticos e apontarão na mesma direção. A teoria também nos diz que nada pode viajar mais rápido do que a luz. Isso significa que a trajetória de qualquer objeto através do espaço e do tempo deve ser representada por uma linha que reside dentro do cone de luz em cada evento nesse mesmo cone [Figura 2.7]. A teoria da relatividade restrita teve enorme êxito em explicar que a velocidade da luz parece a mesma para todos os observadores (como mostrado pelo experimento Michelson-Morley) e em descrever o que acontece quando as coisas se movem a velocidades próximas à da luz. Todavia, isso não estava de acordo com a teoria gravita-

* Este dado se refere às galáxias mensuradas até a época da edição original deste livro, em 1988. Observações posteriores, em particular após o lançamento do Hubble em 1990, revelaram galáxias remontando a mais de treze bilhões de anos (a atual estimativa para a idade do universo é de cerca de 13,7 bilhões de anos). (N. do R.T.)

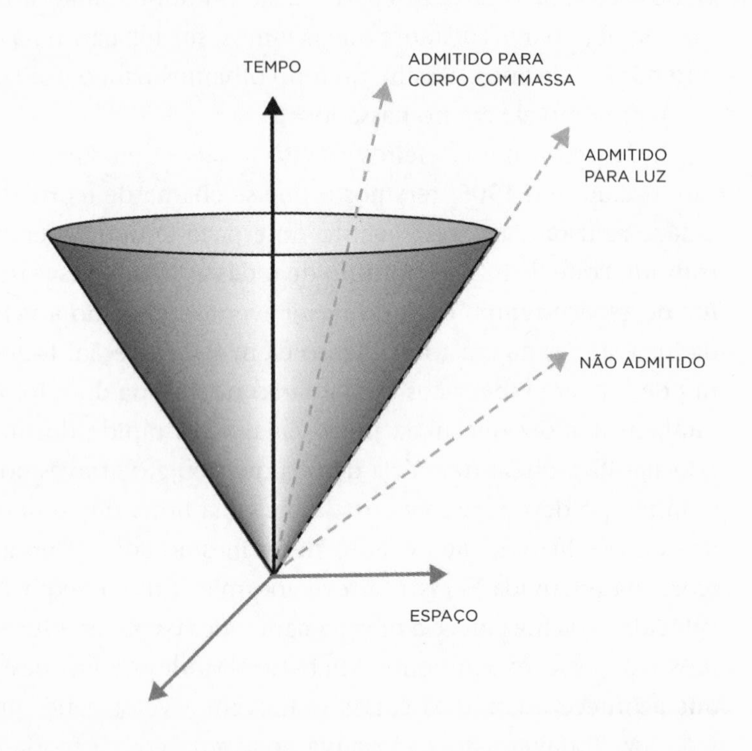
TEMPO
ADMITIDO PARA
CORPO COM MASSA
ADMITIDO
PARA LUZ
NÃO ADMITIDO
ESPAÇO

FIGURA 2.7

cional newtoniana, segundo a qual os objetos se atraíam com uma força que dependia da distância entre eles. Isso significava que, se movêssemos um dos objetos, a força sobre o outro mudaria no mesmo instante. Ou, em outras palavras, os efeitos gravitacionais deveriam viajar com velocidade infinita, em vez de viajar à velocidade da luz ou abaixo dela, como exige a teoria da relatividade restrita. Entre 1908 e 1914, Einstein fez uma série de tentativas fracassadas de descobrir uma teoria gravitacional compatível com a relatividade restrita. Enfim, em 1915, ele propôs o que hoje chamamos de teoria da relatividade geral.

Einstein apresentou a ideia revolucionária de que a gravidade não é uma força como as outras, mas uma consequência do fato de que o espaço-tempo não é plano, como se presumira: é curvo, ou "dobrado", pela distribuição de massa e energia nele. Corpos como a Terra não são feitos para se mover em órbitas recurvadas por uma força chamada gravidade; em vez disso, seguem aquilo que for mais próximo de uma trajetória reta em um espaço curvo, o que é conhecido como geodésica. Uma curva geodésica é a trajetória mais curta (ou mais longa) entre dois pontos próximos. Por exemplo, a superfície da Terra é um espaço curvo bidimensional. Uma geodésica da Terra, chamada de grande círculo, é a rota mais curta entre dois pontos [Figura 2.8]. Como a geodésica é a trajetória mais curta entre dois aeroportos quaisquer, essa é a rota que o navegador de uma linha aérea indicará ao piloto. Na relatividade geral, os corpos sempre seguem linhas retas no espaço-tempo quadridimensional, porém, para nós, parecem se mover ao longo de trajetórias curvas em nosso espaço tridimensional. (É mais ou menos como observar um avião voando acima de um terreno montanhoso. Embora ele siga uma linha reta no espaço tridimensional, sua sombra segue uma trajetória curva no chão bidimensional.)

A massa do Sol curva o espaço-tempo de tal forma que, embora a Terra siga uma trajetória reta no espaço-tempo quadridimensional, ela parece se mover ao longo de uma órbita circular no espaço

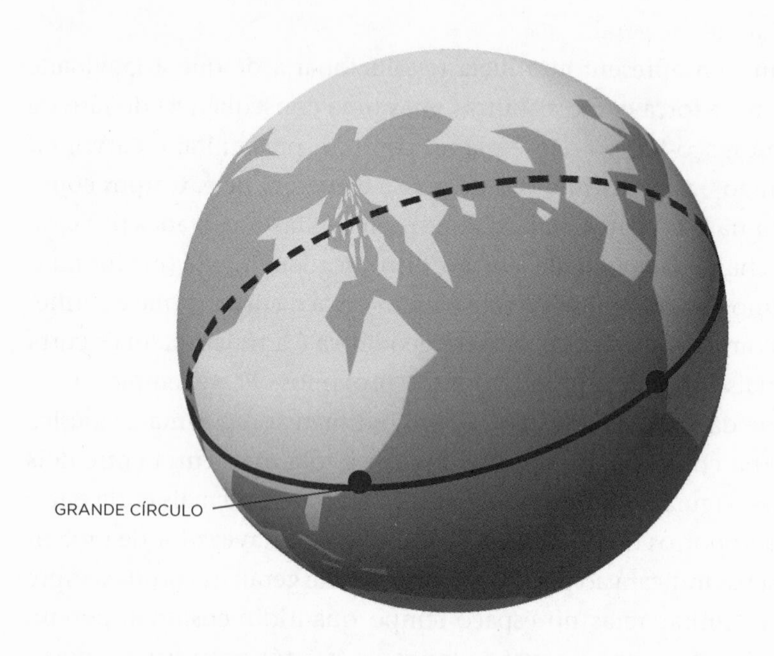

FIGURA 2.8

tridimensional. Na verdade, as órbitas dos planetas previstas pela relatividade geral são quase exatamente as mesmas previstas pela teoria gravitacional newtoniana. Entretanto, no caso de Mercúrio, que, por ser o planeta mais próximo do Sol, sente os efeitos gravitacionais mais intensos e apresenta uma órbita um tanto alongada, a relatividade geral prevê que o eixo longo da elipse deve girar em torno do Sol a uma razão de cerca de um grau em dez mil anos. Por menor que seja esse efeito, ele já havia sido observado antes de 1915 e serviu como uma das primeiras confirmações da teoria de Einstein. Mais recentemente, foram usados radares para medir até os menores desvios nas órbitas dos demais planetas em relação às previsões newtonianas, e, como se viu, elas coincidem com as previsões da relatividade geral.

Raios luminosos também devem seguir a geodésica no espaço-tempo. Mais uma vez, o fato de que o espaço é curvo significa que a luz não parece mais viajar em linhas retas no espaço. Assim, a relatividade geral prevê que a luz deve ser curvada pelos campos gravitacionais. Por exemplo, a teoria prevê que os cones luminosos de pontos próximos ao Sol seriam levemente recurvados para dentro, por causa da massa do astro. Isso significa que, se a luz de uma estrela distante passasse perto do Sol, seria defletida em um pequeno ângulo, levando a estrela a aparecer em uma posição diferente para um observador na Terra [Figura 2.9]. Claro que, se a luz da estrela sempre passasse perto do Sol, não seríamos capazes de dizer se estava sendo defletida ou se a estrela se encontrava de fato onde a vemos. Entretanto, à medida que a Terra orbita o Sol, estrelas diferentes parecem passar por trás do astro e ter sua luz defletida. Desse modo, mudam sua posição aparente em relação às outras estrelas.

Em geral, é muito difícil ver esse efeito, pois a luz do Sol impede que observemos estrelas que parecem próximas a ele no céu. Contudo, é possível fazê-lo durante um eclipse solar, quando a luz do Sol é bloqueada pela Lua. A previsão de Einstein sobre a deflexão da luz não pôde ser testada de imediato em 1915 porque a Primeira

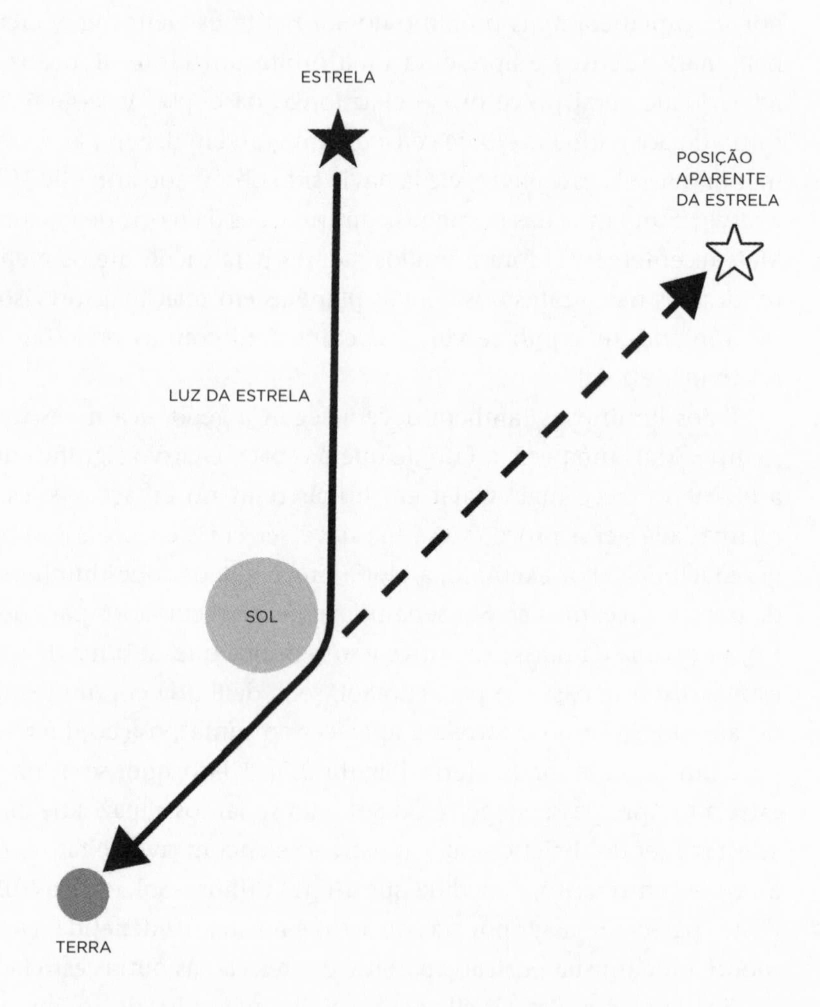
ESTRELA
POSIÇÃO
APARENTE
DA ESTRELA
LUZ DA ESTRELA
SOL
TERRA

FIGURA 2.9

Guerra Mundial estava em curso, e apenas em 1919 uma expedição britânica, ao observar um eclipse na África Ocidental, mostrou que a luz era de fato defletida pelo Sol, exatamente como previsto pela teoria. Essa prova de uma teoria alemã feita por cientistas ingleses foi saudada como um grande ato de reconciliação entre os dois países após a guerra. É irônico, portanto, que o exame posterior das fotografias tiradas naquela expedição tenha revelado que os erros foram tão grandes quanto o efeito que tentavam medir. As medições haviam sido pura sorte, ou um caso de saber o resultado ao qual eles queriam chegar, o que não é incomum na ciência. No entanto, a deflexão da luz foi confirmada com precisão por uma série de observações posteriores.

Outra previsão da relatividade geral é que o tempo deve parecer andar mais devagar perto de um corpo de grande massa como a Terra. Isso ocorre porque há uma relação entre a energia da luz e sua frequência (ou seja, o número de ondas luminosas por segundo): quanto maior a energia, maior a frequência. À medida que a luz viaja para cima no campo gravitacional da Terra, ela perde energia, e assim sua frequência decai. (Isso significa que o intervalo entre duas cristas de onda aumenta.) Para alguém no alto, parece que tudo embaixo está levando mais tempo para acontecer. Essa previsão foi testada em 1962, usando-se um par de relógios muito precisos montados no topo e ao pé de uma caixa-d'água. Verificou-se que o relógio de baixo, que estava mais próximo da Terra, andava mais devagar, exatamente de acordo com a relatividade geral. A diferença na velocidade dos relógios em alturas díspares acima da Terra é hoje de considerável importância prática, com o advento de sistemas de navegação muito precisos baseados em sinais emitidos por satélites. Se as previsões da relatividade geral fossem ignoradas, a posição calculada seria incorreta em muitos quilômetros!

As leis do movimento de Newton puseram fim à ideia de posição absoluta no espaço. A teoria da relatividade descarta o tempo absoluto. Considere dois irmãos gêmeos. Suponha que um deles vá viver no topo de uma montanha, enquanto o outro continua morando ao nível do mar. O primeiro gêmeo envelheceria mais depressa do que o segundo. Assim, se eles voltassem a se encontrar, um estaria mais velho do que o outro. Nesse caso haveria uma diferença de idade muito pequena, mas ela seria bem maior se um dos gêmeos fizesse uma longa viagem em uma espaçonave quase à velocidade da luz. Quando ele regressasse, estaria muito mais jovem do que aquele que ficou na Terra. Isso é conhecido como paradoxo dos gêmeos, mas é um paradoxo apenas se continuarmos pensando em termos de tempo absoluto. Na teoria da relatividade, não existe tempo absoluto único; em vez disso, cada indivíduo tem sua própria medida de tempo, que depende de onde ele se encontra e de como está se movendo.

Antes de 1915, o espaço e o tempo eram vistos como um palco fixo onde os eventos ocorriam, mas que não era afetado pelo que acontecia nele. Isso valia até para a teoria da relatividade restrita. Os corpos se moviam, as forças atraíam e repeliam, porém o tempo e o espaço simplesmente permaneciam inalterados. Era natural pensar que o espaço e o tempo prosseguissem eternamente.

A situação, no entanto, é bastante diferente na teoria da relatividade geral. Espaço e tempo passaram a ser quantidades dinâmicas: quando um corpo se move ou uma força atua, afeta a curvatura do espaço e do tempo — e, por sua vez, a estrutura do espaço-tempo afeta o modo como os corpos se movem e as forças atuam. Espaço e tempo não apenas afetam como também são afetados por tudo o que acontece no universo. Assim como não se pode falar sobre eventos no universo sem as noções de espaço e de tempo, na teoria da relatividade geral não há sentido em falar sobre espaço e tempo fora dos limites do universo.

Nas décadas seguintes, esse novo entendimento do espaço e do tempo revolucionaria nossa visão do universo. A antiga ideia de um universo em essência imutável que pudesse ter existido e pudesse continuar a existir foi substituída para sempre pela ideia de um universo dinâmico e em expansão que parecia ter começado em um tempo finito no passado e que talvez terminasse em um tempo finito no futuro. Essa revolução constitui o tema do próximo capítulo. E, anos mais tarde, ela também seria o ponto de partida para o meu trabalho em física teórica. Roger Penrose e eu demonstramos que a teoria da relatividade geral de Einstein sugeria que o universo deve ter um início e, possivelmente, um fim.

3

O UNIVERSO EM EXPANSÃO

SE OLHARMOS PARA O CÉU EM UMA NOITE DE TEMPO LIMPO, SEM lua, os objetos mais brilhantes provavelmente serão os planetas Vênus, Marte, Júpiter e Saturno. Haverá também um número muito grande de estrelas, que são exatamente como o nosso Sol, mas estão bem mais distantes. Algumas dessas estrelas fixas de fato parecem mudar muito de leve suas posições relativas umas às outras conforme a Terra orbita o Sol: elas não são fixas de verdade, de modo algum! Isso acontece porque estão comparativamente perto de nós. À medida que a Terra dá a volta no Sol, nós as vemos de diferentes posições contra o fundo de estrelas mais distantes. Isso é muito bom, pois nos permite medir a distância entre nós e essas estrelas de maneira direta: quanto mais perto elas estão, mais parecem se mover. A mais próxima, chamada Proxima Centauri, está a cerca de quatro anos-luz de distância (sua luz leva por volta de quatro anos para chegar à Terra), ou cerca de 37 trilhões de quilômetros. A maioria das outras estrelas visíveis a olho nu fica a algumas centenas de anos-luz de nós. Nosso Sol, por comparação, está a meros oito minutos-luz de distância! As estrelas visíveis parecem ocupar todo o céu noturno, mas estão particularmente concentradas em uma faixa, que chamamos de Via Láctea. Já em 1750, alguns astrônomos sugeriam que a aparência da Via Láctea podia ser explicada se a maioria das estrelas visíveis estivesse em uma configuração de disco simples, um exemplo do que hoje chamamos de galáxia espiral. Apenas algumas décadas mais tarde, o astrônomo Sir William Herschel confirmou essa ideia ao catalogar de forma minuciosa as posições e distâncias de um vasto número de estrelas. Mesmo assim, a ideia ganhou aceitação completa apenas no início do século passado.

Nossa imagem moderna do universo data de apenas 1924, quando o astrônomo americano Edwin Hubble provou que a nossa galáxia não era única. Na verdade, havia muitas outras, com vastas regiões de espaço vazio entre elas. Para provar sua ideia, ele precisava determinar as distâncias até essas outras galáxias, tão distantes que, ao contrário das estrelas próximas, de fato parecem fixas. Portanto, Hubble foi obrigado a usar métodos indiretos para medir as distâncias. Ora, o brilho aparente de uma estrela depende de dois fatores: quanta luz ela irradia (sua luminosidade) e quão distante está em relação a nós. No caso de estrelas próximas, podemos medir o brilho aparente e a distância e, desse modo, deduzir a luminosidade. Por outro lado, se conhecêssemos a luminosidade das estrelas em outras galáxias, poderíamos inferir a distância até elas ao medir seu brilho aparente. Hubble notou que certos tipos de estrelas sempre têm a mesma luminosidade quando estão perto o bastante para serem medidas. Logo, argumentou ele, se descobríssemos estrelas desse tipo em outra galáxia poderíamos presumir que tivessem a mesma luminosidade — e, desse modo, calcular a distância até essa galáxia. Se fizéssemos isso para uma série de estrelas na mesma galáxia e nossos cálculos sempre resultassem na mesma distância, poderíamos ficar razoavelmente confiantes com a estimativa.

FIGURA 3.1

Dessa maneira, Edwin Hubble obteve as distâncias de nove galáxias. Hoje sabemos que nossa galáxia é apenas uma entre cerca de centenas de bilhões que podem ser vistas com o uso de telescópios modernos, cada uma delas contendo centenas de bilhões de estrelas. A Figura 3.1 mostra a foto de uma galáxia espiral semelhante ao modo como achamos que a nossa deve parecer para alguém que vive em outra galáxia. Moramos em uma galáxia com cerca de cem mil anos-luz de uma ponta à outra e que gira devagar: as estrelas em seus braços espirais orbitam em torno do centro cerca de uma vez a cada várias centenas de milhões de anos. Nosso Sol não passa de uma estrela comum, de tamanho médio, amarela, perto da margem interna de um dos braços espirais. Sem dúvida, avançamos muito desde os tempos de Aristóteles e Ptolomeu, quando pensávamos que a Terra era o centro do universo!

As estrelas se encontram tão distantes de nós que as vemos como meros pontinhos de luz. Não podemos ver seu tamanho ou forma. Então como identificamos os diferentes tipos? Na maioria dos casos, há uma única característica marcante que somos capazes de observar: a cor de sua luz. Newton descobriu que, se a luz solar passa através de um pedaço de vidro triangular, um prisma, as cores que a compõem (seu espectro) são separadas, como um arco-íris. Do mesmo modo, se focalizarmos um telescópio em uma estrela ou galáxia específica, podemos observar o espectro da luz dessa estrela ou galáxia. Estrelas diferentes apresentam espectros distintos, mas o brilho relativo das cores é sempre exatamente o que se esperaria encontrar na luz emitida por um objeto incandescente. (Na verdade, a luz emitida por qualquer objeto opaco ardendo de forma incandescente possui um espectro característico que depende apenas de sua temperatura — um espectro termal. Isso significa que podemos determinar a temperatura de uma estrela com base no espectro de sua luz.) Além do mais, descobrimos que faltam certas cores muito específicas nos espectros das estrelas, e essas cores podem variar de uma estrela para outra. Como sabemos que cada elemento químico absorve uma série característica de cores, ao compará-las com as que estão ausentes no espectro de uma estrela podemos determinar com exatidão quais elementos estão presentes na atmosfera da estrela.

Na década de 1920, quando os astrônomos começaram a olhar para os espectros das estrelas em outras galáxias, descobriram algo muito peculiar: faltavam os mesmos conjuntos característicos de cores nas estrelas em nossa galáxia, e todos eles eram desviados na mesma proporção em direção à extremidade vermelha do espectro. Para compreender as implicações disso, devemos primeiro entender o efeito Doppler. Como vimos, a luz visível consiste em flutuações, ou ondas, no campo eletromagnético. O comprimento de onda (ou a distância entre duas cristas) da luz é muito pequeno, variando de quatro a sete décimos de milionésimo de metro. Os diferentes comprimentos de onda da luz são o que o olho humano vê como cores diferentes, sendo que os comprimentos de onda mais longos aparecem no extremo vermelho do espectro, e os mais curtos, no extremo azul. Agora imagine uma fonte de luz a uma distância constante de nós, como uma estrela, emitindo ondas de luz a um comprimento de onda constante. Obviamente, o comprimento das ondas que recebemos continuará o mesmo de quando foram emitidas (o campo gravitacional da galáxia não será grande o bastante para exercer um efeito significativo). Suponhamos agora que a fonte comece a se mover em nossa direção. Quando ela emitir a próxima crista de onda, estará mais próxima de nós, então a distância entre as cristas será menor do que quando a estrela era estacionária. Isso significa que o comprimento das ondas que recebemos é mais curto agora, com a estrela se aproximando. Por analogia, se a fonte se desloca para longe de nós, o comprimento das ondas que recebemos será mais longo. No caso da luz, portanto, as estrelas que se afastam de nós terão seus espectros desviados na direção do extremo vermelho (fenômeno chamado de desvio para o vermelho), e as que se aproximam apresentarão em seus espectros um desvio para o azul. Essa relação entre comprimento de onda e velocidade, chamada de efeito Doppler, é uma experiência cotidiana. Escute um carro passando na rua: conforme ele se aproxima, o ruído do motor soa mais alto (o que corresponde a um comprimento de onda mais curto e a uma frequência mais alta das ondas sonoras) e, quando ele passa por nós e vai embora, soa mais baixo. O comportamento das ondas de luz ou de rádio é semelhante. A polícia usa o efeito Doppler para calcular a velocidade de um veículo medindo o comprimento dos pulsos das ondas de rádio refletidas nele.

Após provar a existência de outras galáxias, Hubble se dedicou, nos anos subsequentes, a catalogar as distâncias delas e a observar seus espectros. Na época, a maioria das pessoas imaginava que as galáxias se moviam de um modo um tanto aleatório e, assim, esperava encontrar tanto desvios para o azul quanto para o vermelho em seus espectros. Logo, foi uma tremenda surpresa descobrir que a maioria das galáxias exibia um desvio para o vermelho: quase todas estavam se distanciando de nós! Ainda mais surpreendente foi a descoberta publicada por Hubble em 1929: nem mesmo a magnitude do desvio para o vermelho de uma galáxia é aleatória, ela na verdade é diretamente proporcional à distância a que a galáxia está de nós. Em outras palavras, quanto mais distante uma galáxia está, mais depressa ela se afasta de nós! E isso significa que o universo não podia ser estático, como todos acreditavam até então, mas está em expansão; a distância entre as galáxias aumenta sem parar.

A descoberta de que o universo está em expansão foi uma das grandes revoluções intelectuais do século XX. Em retrospecto, é fácil se perguntar por que ninguém tinha pensado nisso antes. Newton e outros deviam ter se dado conta de que um universo estático logo começaria a se contrair sob a influência da gravidade. Mas suponhamos, em vez disso, que o universo esteja se expandindo. Se o processo for muito lento, em algum momento a força da gravidade o levará a parar de se expandir e, depois, começar a se contrair. Entretanto, se estiver se expandindo acima de determinada velocidade crítica, a gravidade jamais será forte o bastante para detê-lo, e o universo continuará se expandindo para sempre. Isso é um pouco o que acontece quando lançamos um foguete da superfície da Terra. Se a velocidade for muito baixa, a gravidade acabará por detê-lo, e ele cairá de volta. Em contrapartida, se o foguete viajar acima de determinada velocidade crítica (cerca de onze quilômetros por segundo), a gravidade não será forte o suficiente para puxá-lo de volta, de modo que ele continuará se afastando da Terra para sempre. Esse comportamento do universo poderia ter sido previsto com base na teoria da gravitação de Newton em qualquer momento dos séculos XIX e XVIII, ou até em fins do XVII. Contudo, a crença em um universo estático era tão forte que ela persistiu até o início do século XX. Mesmo Einstein, ao formular a teoria da relatividade geral, em 1915, tinha tanta certeza de que o universo precisava ser estático que modificou sua teoria para tornar isso possível, introduzindo em suas equações o que chamou de constante cosmológica. Einstein incorporou uma nova força "antigravidade", que, ao contrário de outras forças, não provinha de nenhuma fonte específica, mas se formava no próprio tecido do espaço-tempo. Ele alegou que o espaço-tempo tinha uma tendência inerente a se expandir e que isso podia acontecer exatamente para compensar a atração de toda a matéria no universo, de modo que o resultado seria um universo estático. Aparentemente, apenas um homem estava disposto a aceitar a relatividade geral, e, enquanto Einstein e outros físicos procuravam maneiras de evitar a previsão da relatividade geral de um universo não estático, o físico e matemático russo Alexander Friedmann se propôs a explicar tal previsão.

Friedmann fez duas suposições muito simples sobre o universo: que ele parecia idêntico em qualquer direção que olhássemos e que isso seria verdadeiro também se o observássemos de qualquer outro ponto. Partindo apenas dessas duas ideias, ele mostrou que não deveríamos esperar que o universo fosse estático. Na verdade, em 1922, vários anos antes da descoberta de Edwin Hubble, Friedmann previu exatamente o que Hubble descobriu!

A suposição de que o universo parece o mesmo em qualquer direção claramente não corresponde à realidade. Por exemplo, como vimos, as outras estrelas em nossa galáxia formam uma faixa distinta de luz no céu noturno, a qual chamamos de Via Láctea. No entanto, se olhamos para galáxias distantes, parece haver mais ou menos a mesma quantidade delas. Assim, o universo de fato parece ser, *grosso modo*, o mesmo em todas as direções, contanto que o vejamos em uma escala grande se comparada à distância entre as galáxias e ignoremos as diferenças nas escalas pequenas. Por muito tempo, isso foi justificativa suficiente para a hipótese de Friedmann — como uma aproximação grosseira do universo real. Contudo, há pouco tempo um feliz acaso revelou o fato de que a conjectura de Friedmann é na verdade uma descrição bastante precisa de nosso universo.

Em 1965, Arno Penzias e Robert Wilson, dois físicos americanos do Bell Telephone Laboratories em Nova Jersey, estavam testando um detector de micro-ondas muito sensível. (Micro-ondas são como ondas de luz, mas com um comprimento de onda de cerca de um centímetro.) Eles ficaram preocupados quando descobriram que o detector estava captando mais ruído do que deveria. O ruído não parecia provir de nenhuma direção em particular. Primeiro, eles encontraram excrementos de aves no detector e procuraram outros defeitos possíveis, mas logo descartaram essa possibilidade. Eles sabiam que qualquer ruído vindo de dentro da atmosfera seria mais forte quando o detector não estivesse apontando diretamente para o alto, pois os raios luminosos viajam através de muito mais atmosfera quando recebidos de algum ponto próximo ao horizonte do que quando recebidos diretamente de cima. O excesso de ruído era o mesmo em qualquer direção que o detector fosse apontado, de modo que devia vir de *fora* da atmosfera. Ele também não variava de acordo com a hora, nem ao longo do ano, ainda que a Terra estivesse girando em seu próprio eixo e orbitando o Sol. Isso mostrava que a radiação devia provir de algum lugar além do Sistema Solar, e até da galáxia, pois caso contrário variaria à medida que o movimento da Terra apontasse o detector em direções diferentes.

Na verdade, sabemos que a radiação deve ter viajado até nós pela maior parte do universo observável, e, uma vez que ela parece ser a mesma em direções diferentes, o universo deve também ser o mesmo em qualquer direção, nem que seja em grande escala. Sabemos hoje que, em qualquer direção que olhemos, esse ruído nunca varia em mais do que uma fração minúscula: assim, Penzias e Wilson esbarraram sem querer em uma confirmação bastante precisa da primeira hipótese de Friedmann. Entretanto, como o universo não é exatamente o mesmo em todas as direções, mas apenas em média em grande escala, as micro-ondas também não podem ser exatamente as mesmas em qualquer direção. Tem de haver ligeiras variações. E elas foram detectadas pela primeira vez em 1992 pelo satélite Cobe em um nível de cerca de uma parte em cem mil. Por menor que sejam essas variações, elas são muito importantes, como será explicado no Capítulo 8.

Por volta da mesma época em que Penzias e Wilson investigavam o ruído em seu detector, dois físicos americanos da Universidade de Princeton, Bob Dicke e Jim Peebles, também estavam interessados nas micro-ondas. Eles trabalhavam em uma sugestão, feita por George Gamow (ex-aluno de Alexander Friedmann), de que o universo primitivo devia ter sido muito quente e denso, incandescente ao branco. Dicke e Peebles argumentaram que ainda deveríamos ser capazes de ver o brilho do universo primitivo, pois a luz de partes muito distantes só estaria chegando até nós agora. Porém, a expansão do universo significava que essa luz devia apresentar um desvio para o vermelho tão grande que ela apareceria para nós como radiação de micro-ondas. Dicke e Peebles estavam se preparando para procurar essa radiação quando Penzias e Wilson souberam de seu trabalho e perceberam que já a haviam encontrado. Por esse feito, Penzias e Wilson ganharam o Prêmio Nobel em 1978 (o que parece um pouco ingrato com Dicke e Peebles, sem falar de Gamow!).

Bem, à primeira vista, toda essa evidência de que o universo tem o mesmo aspecto em qualquer direção em que olhemos pode parecer sugerir que existe algo especial em relação a nosso lugar no universo. Em particular, talvez pareça que, se observamos todas as demais galáxias se afastando de nós, então devemos estar no centro do universo. Há, no entanto, uma explicação alternativa: o universo deve parecer o mesmo em qualquer direção quando visto também de qualquer outra galáxia. Essa, como vimos, era a segunda hipótese de Friedmann. Não dispomos de evidência científica a favor ou contra essa suposição. Acreditamos nela apenas por modéstia: seria muito surpreendente se o universo parecesse o mesmo em qualquer direção em torno de nós, mas não em torno de outros pontos do universo! No modelo de Friedmann, todas as galáxias estão se afastando umas das outras. A situação é semelhante a um balão, com diversos pontos pintados em sua superfície, sendo inflado. À medida que o balão se expande, a distância entre quaisquer dois pontos aumenta, mas não existe um ponto que possa ser identificado como o centro da expansão. Além disso, quanto mais distantes os pontos, mais depressa eles se afastarão. Da mesma maneira, no modelo de Friedmann a velocidade em que quaisquer duas galáxias se afastam é proporcional à distância entre elas. Assim, ele previu que o desvio de uma galáxia para o vermelho devia ser diretamente proporcional à sua distância de nós, o mesmo que Hubble descobriu. A despeito do sucesso de seu modelo e de sua previsão das observações de Hubble, o trabalho de Friedmann permaneceu em grande medida desconhecido no Ocidente, até que modelos semelhantes foram identificados em 1935 pelo físico americano Howard Robertson e pelo matemático britânico Arthur Walker, em uma reação à descoberta da expansão uniforme do universo feita por Hubble.

Embora Friedmann tenha encontrado apenas um, existem na verdade três tipos de modelos que obedecem às suas duas hipóteses fundamentais. No primeiro tipo (que Friedmann descobriu), o universo está se expandindo devagar o bastante para que a atração gravitacional entre as galáxias faça com que a expansão desacelere até cessar. As galáxias então começam a se mover na direção umas das outras, e o universo se contrai. A Figura 3.2 mostra como a distância entre duas galáxias vizinhas muda com o passar do tempo. Ela começa em zero, aumenta para um máximo e decresce até zero outra vez. No segundo tipo de solução, o universo está se expandindo tão rápido que a atração gravitacional nunca o detém, embora reduza um pouco sua velocidade. A Figura 3.3 mostra a separação entre galáxias vizinhas nesse modelo. Ela começa em zero e, a certa altura, as galáxias começam a se afastar a uma velocidade constante. Por fim, há um terceiro tipo de solução, na qual o universo está se expandindo depressa o bastante apenas para evitar um novo colapso. Nesse caso, a separação, mostrada na Figura 3.4, também começa em zero e aumenta de forma contínua. Entretanto, a velocidade com que as galáxias se afastam fica cada vez menor, embora nunca chegue a zero.

Uma característica notável do primeiro modelo de Friedmann é que nele o universo não é infinito em espaço, porém o espaço tampouco possui contorno. A gravidade é tão forte que o espaço é curvado sobre si mesmo, mais ou menos como a superfície da Terra. Se alguém viaja constantemente em determinada direção na superfície do nosso planeta, nunca atinge uma barreira intransponível nem cai pela borda, porém acaba voltando ao ponto onde começou. No primeiro modelo, o espaço é exatamente assim, mas com três dimensões, em vez de duas como na superfície da Terra. A quarta dimensão, o tempo, também é finita em extensão, mas é como uma linha com duas extremidades ou contornos, um começo e um fim. Veremos mais tarde que, ao combinarmos a relatividade geral com o princípio da incerteza da mecânica quântica, é possível que tanto o espaço quanto o tempo sejam finitos sem bordas nem contornos.

A ideia de que alguém possa dar a volta no universo e terminar onde começou dá uma boa ficção científica, mas não tem muito significado prático, pois é possível demonstrar que o universo voltaria

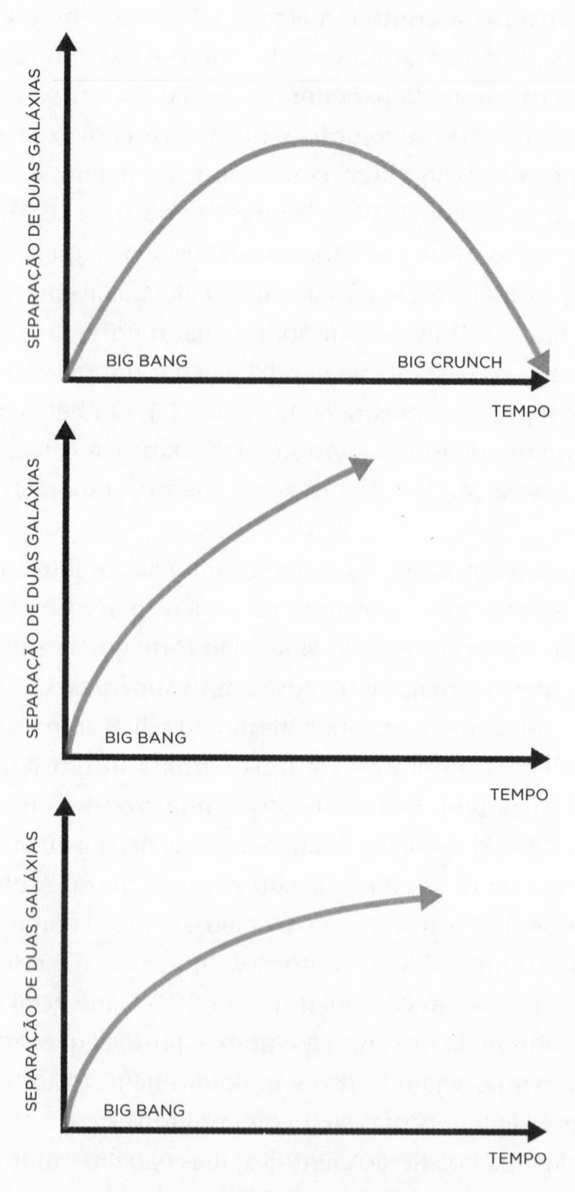

FIGURAS 3.2, 3.3 E 3.4

ao tamanho zero antes que a pessoa completasse o trajeto. Seria preciso viajar mais rápido do que a velocidade da luz a fim de terminar onde se começou antes de o universo chegar ao fim — e isso é impossível!

No primeiro modelo de Friedmann, que se expande e volta a entrar em colapso, o espaço curva-se sobre si mesmo, como a superfície da Terra. Desse modo, sua extensão é finita. No segundo modelo, que se expande para sempre, o espaço é curvado de outra maneira, como a superfície de uma sela. Nesse caso, o espaço é infinito. Já no terceiro modelo, com apenas a taxa de expansão crítica, o espaço é plano (e, desse modo, também é infinito).

Mas qual dos modelos de Friedmann descreve o nosso universo? Será que o universo por fim vai parar de se expandir e começará a se contrair, ou se expandirá para sempre? Para responder a essa pergunta, precisamos saber a atual taxa de expansão do universo e sua densidade média. Se a densidade estiver abaixo de um valor crítico específico, determinado pela taxa de expansão, a atração gravitacional será fraca demais para deter a expansão. Se a densidade for maior do que o valor crítico, a gravidade deterá a expansão em algum momento no futuro e levará o universo a um novo colapso.

Usando o efeito Doppler, podemos determinar a taxa de expansão atual ao medir as velocidades com que outras galáxias estão se afastando de nós. Isso pode ser feito com muita precisão. Entretanto, as distâncias para as galáxias não são bem conhecidas, pois só conseguimos medi-las de forma indireta. Assim, tudo o que sabemos é que o universo está se expandindo em algo entre 5% e 10% a cada bilhão de anos. No entanto, nossa incerteza sobre a densidade média atual do universo é ainda maior. Se somamos a massa de todas as estrelas que podemos ver em nossa e em outras galáxias, o total é menos do que um centésimo da quantidade exigida para deter a expansão do universo, mesmo para a estimativa mais baixa da taxa de expansão. As galáxias, contudo, devem conter uma grande quantidade de "matéria escura", que não podemos ver diretamente, mas sabemos que deve estar lá devido à influência de sua atração gravitacional nas órbitas das estrelas. Além disso, a maioria das galáxias é encontrada em aglomerados, e podemos, do mesmo modo, deduzir que há ainda mais matéria escura entre as galáxias nesses aglomerados por seu efeito no movimento destas. Quando somamos toda essa matéria escura, ainda temos apenas um décimo da quantidade exigida para deter a expansão. Entretanto, não podemos excluir a possibilidade de que haja outro tipo de matéria, distribuída de modo quase uniforme por todo o universo, que ainda não detectamos e que pode elevar a densidade média do universo até o valor crítico necessário para deter a expansão. As evidências atuais, portanto, sugerem que o universo provavelmente se expandirá para sempre, mas a única certeza possível é que, mesmo que o universo volte a entrar em colapso, isso ocorrerá no mínimo daqui a dez bilhões de anos, uma vez que ele já vem se expandindo por pelo menos esse período. Todavia, não devemos nos preocupar demais com isso: a essa altura, a menos que tenhamos colonizado lugares além do Sistema Solar, a humanidade já terá deixado de existir, pois será extinguida junto com nosso Sol!

Todas as soluções de Friedmann têm a particularidade de que, em algum momento no passado (entre dez e vinte bilhões de anos atrás), a distância entre galáxias vizinhas deve ter sido zero. Nessa época, que chamamos de Big Bang, a densidade do universo e a curvatura do espaço-tempo teriam sido infinitas. Como a matemática não pode lidar de fato com números infinitos, isso significa que a teoria da relatividade geral (na qual as soluções de Friedmann se baseiam) prevê que existe um ponto no universo no qual a própria teoria deixa de ser válida. Esse ponto é um exemplo do que os matemáticos chamam de singularidade. Na verdade, todas as nossas teorias científicas são formuladas na suposição de que o espaço-tempo é liso e quase plano, de modo que deixam de funcionar na singularidade do Big Bang, quando a curvatura do espaço-tempo é infinita. Isso significa que, mesmo que tenha havido eventos anteriores ao Big Bang, seríamos incapazes de usá-los para determinar o que aconteceria em seguida, pois a previsibilidade deixaria de funcionar no Big Bang.

Do mesmo modo, se sabemos o que aconteceu apenas desde o Big Bang, como é o caso, não podemos determinar o que ocorreu antes. No que nos diz respeito, eventos prévios ao Big Bang não exercem qualquer efeito, de modo que não fazem parte de um modelo científico do universo. Devemos, assim, eliminá-los do modelo e dizer que o tempo teve início no Big Bang.

Muitos não gostam da ideia de que o tempo teve um início, provavelmente porque isso cheira a intervenção divina. (A Igreja Católica, por outro lado, acatou o modelo do Big Bang e em 1951 proclamou oficialmente que ele estava de acordo com a Bíblia.) Por isso, houve uma série de tentativas para evitar a conclusão de que um Big Bang tenha ocorrido. A proposta que obteve o apoio mais amplo foi chamada de teoria do estado estacionário. Ela foi sugerida em 1948 por dois refugiados da Áustria ocupada pelos nazistas, Hermann Bondi e Thomas Gold, juntamente com um britânico, Fred Hoyle, que trabalhara com eles no desenvolvimento do radar durante a guerra. A ideia era que, enquanto as galáxias se afastavam umas das outras, novas galáxias se formavam nos espaços entre elas, a partir de matéria nova criada continuamente. Assim, o universo pareceria, *grosso modo*, o mesmo em qualquer momento, bem como em qualquer ponto do espaço. A teoria do estado estacionário exigia uma modificação da relatividade geral para permitir a criação contínua de matéria, mas a taxa envolvida era tão baixa (cerca de uma partícula por quilômetro cúbico ao ano) que isso não estava em conflito com a experimentação. Tratava-se de uma boa teoria científica, no sentido descrito no Capítulo 1: era simples e fazia previsões precisas que podiam ser testadas pela observação. Uma das previsões dizia que o número de galáxias ou objetos semelhantes em qualquer volume específico de espaço devia ser o mesmo, a despeito de onde e quando o observássemos. No fim da década de

1950 e no início da seguinte, um grupo de astrônomos liderados por Martin Ryle (que durante a guerra também trabalhara com Bondi, Gold e Hoyle no radar) realizou, em Cambridge, um levantamento de fontes de ondas de rádio provenientes do espaço exterior. O grupo de Cambridge mostrou que a maioria dessas fontes de rádio deve se localizar fora de nossa galáxia (de fato, muitas delas puderam ser identificadas como originárias de outras galáxias) e também que havia muito mais fontes fracas do que fortes. Eles interpretaram as fontes fracas como sendo mais distantes e as mais fortes como estando mais próximas. Além disso, parecia haver menos fontes comuns por unidade de volume de espaço para as fontes próximas do que para as distantes. Isso talvez significasse que estamos no centro de uma grande região do universo onde as fontes são mais escassas do que em outras regiões. Ou também poderia significar que as fontes eram mais numerosas no passado, quando as ondas de rádio partiram em sua jornada até nós. As duas explicações contradiziam as previsões da teoria do estado estacionário. Além do mais, a descoberta da radiação de micro-ondas por Penzias e Wilson em 1965 indicava também que o universo devia ter sido muito mais denso no passado. Desse modo, a teoria do estado estacionário teve de ser abandonada.

Outra tentativa de evitar a conclusão de que deve ter havido um Big Bang e, portanto, um início do tempo foi feita pelos cientistas russos Evgenii Lifshitz e Isaac Khalatnikov, em 1963. Eles sugeriram que o Big Bang talvez fosse uma peculiaridade exclusiva dos modelos de Friedmann, que, afinal, não passavam de aproximações do universo real. Talvez, de todos os modelos mais ou menos parecidos com o universo real, apenas os de Friedmann contivessem uma singularidade de Big Bang. Nos modelos de Friedmann, as galáxias todas se afastam umas das outras, e por isso não causa surpresa que, em algum momento do passado, elas estivessem todas no mesmo lugar. No universo real, porém, as galáxias não estão apenas se afastando umas das outras — elas também apresentam pequenas velocidades laterais. Assim, na verdade, elas nunca precisaram ter estado todas exatamente no mesmo lugar, apenas muito próximas umas das outras. Talvez, então, o universo em expansão atual resultasse não de uma singularidade de Big Bang, mas de uma fase anterior de contração; no momento em que o universo tivesse entrado em colapso, as partículas existentes nele poderiam não ter colidido, mas passado umas pelas outras e se afastado, resultando na expansão atual. Nesse caso, como poderíamos dizer que o universo real deve ter começado com um Big Bang? O que Lifshitz e Khalatnikov fizeram foi estudar modelos do universo que eram, *grosso modo*, parecidos com os modelos de Friedmann, mas levando em consideração as irregularidades e as velocidades aleatórias das galáxias no universo real. Eles demonstraram que modelos assim poderiam começar com um Big Bang, mesmo que as galáxias já não estivessem se afastando continuamente umas das outras, porém alegaram que isso só era possível em determinados modelos excepcionais nos quais as galáxias estivessem todas se movendo de um modo muito específico. Argumentaram que, como parecia haver infinitamente mais modelos como os de Friedmann sem singularidade de Big Bang do que modelos com essa característica, deveríamos concluir que na realidade não ocorreu um Big Bang. Entretanto, mais tarde eles se deram conta de que havia uma classe muito mais geral de modelos de Friedmann que de fato apresentavam singularidades e nos quais as galáxias não precisavam se mover de nenhuma forma especial. Então, em 1970, voltaram atrás em sua alegação.

O trabalho de Lifshitz e Khalatnikov foi valioso porque mostrou que o universo *pode de fato* ter tido uma singularidade, um Big Bang, se a teoria da relatividade geral estiver correta. No entanto, não solucionou a questão crucial: será que a relatividade geral prevê que nosso universo *deve* ter tido um Big Bang, um início do tempo? A resposta veio a partir de uma abordagem completamente diferente introduzida pelo matemático e físico britânico Roger Penrose em

1965. A partir do modo como os cones de luz se comportam na relatividade geral, combinado ao fato de que a gravidade sempre exerce atração, ele mostrou que uma estrela cedendo à própria gravidade fica aprisionada em uma região cuja superfície acaba por encolher ao tamanho zero. E, como a superfície da região encolhe para zero, o mesmo deve se dar com seu volume. Toda a matéria da estrela será comprimida em uma região de volume zero, de modo que a densidade da matéria e a curvatura do espaço-tempo serão infinitas. Em outras palavras, temos uma singularidade contida dentro de uma região do espaço-tempo conhecida como buraco negro.

À primeira vista, o resultado de Penrose se aplicaria apenas a estrelas; ele não tinha nada a acrescentar sobre a questão de o universo inteiro ter tido ou não uma singularidade de Big Bang no passado. Contudo, na época em que Penrose apresentou seu teorema, eu era um aluno que procurava desesperadamente um problema com o qual completar minha tese de doutorado. Dois anos antes, eu havia recebido o diagnóstico de esclerose lateral amiotrófica, mais conhecida como doença de Lou Gehrig ou doença do neurônio motor, e fui levado a crer que teria apenas mais um ou dois anos de vida. Nessas circunstâncias, parecia não fazer muito sentido trabalhar em minha tese — eu não esperava viver tanto assim. No entanto, dois anos haviam se passado, e eu não piorara muito. Na verdade, as coisas até que estavam indo bastante bem para mim, e fiquei noivo de uma ótima garota, Jane Wilde. Mas, para poder me casar, eu precisava ter um emprego e, para conseguir um emprego, eu precisava do doutorado.

Em 1965, li a respeito do teorema de Penrose de que todo corpo em colapso gravitacional deve acabar formando uma singularidade. Logo me dei conta de que, se revertêssemos a direção do tempo no teorema de Penrose, de modo que o colapso se tornasse uma expansão, as condições de seu teorema ainda seriam válidas, contanto que o universo fosse aproximadamente como um modelo de Friedmann em escalas maiores no momento atual. O teorema de Penrose mostrara que qualquer estrela em colapso *deve* terminar em uma singularidade; o argumento de reversão temporal mostrava que qualquer universo em expansão nos moldes de Friedmann *deve* ter se iniciado com uma singularidade. Por razões técnicas, o teorema de Penrose exigia que o universo fosse infinito em espaço. Assim, eu podia usá-lo para provar que haveria uma singularidade apenas se o universo estivesse se expandindo rápido o bastante para evitar um novo colapso (já que apenas aqueles modelos de Friedmann previam um espaço infinito).

Ao longo dos anos seguintes, desenvolvi técnicas matemáticas para eliminar essa e outras tecnicalidades dos teoremas que provavam a ocorrência de singularidades. O resultado foi um artigo escrito em parceria com Penrose em 1970, demonstrando enfim que deve ter havido uma singularidade de Big Bang, desde que a relatividade geral esteja correta e o universo contenha tanta matéria quanto observamos. Houve muita oposição ao nosso trabalho, em parte vinda dos russos, devido à sua crença marxista no determinismo científico, e em parte de pessoas que achavam que toda essa ideia de singularidade era intragável e arruinava a beleza da teoria de Einstein. Todavia, não se pode discutir com um teorema matemático. Desse modo, no fim, nosso trabalho foi amplamente aceito, e hoje quase todos presumem que o universo teve início com uma singularidade de Big Bang. É talvez um pouco irônico que, após mudar de ideia, hoje eu tente convencer os demais físicos de que, na realidade, não houve singularidade alguma no início do universo — como veremos mais adiante, ela pode desaparecer se levarmos em consideração os efeitos quânticos.

Neste capítulo, vimos como em menos de meio século o conceito do homem sobre o universo, formado ao longo de milênios, foi transformado. A descoberta de Hubble de que o universo estava em expansão e a percepção da insignificância de nosso planeta na vastidão do cosmos foram apenas o ponto de partida. À medida que as evidências experimentais e teóricas se acumulavam, ficou cada vez mais claro que o universo deve ter tido um início no tempo, até que em 1970 isso enfim foi comprovado por Penrose e por mim, com base na teoria da relatividade geral de Einstein. Isso mostrou que a relatividade geral não passa de uma teoria incompleta: ela é incapaz de nos dizer como o universo começou, pois prevê que todas as teorias físicas, incluindo ela própria, perdem a validade no início do universo. Entretanto, a relatividade geral alega ser uma teoria apenas parcial. Assim, o que os teoremas da singularidade mostram de fato é que deve ter havido um momento nos estágios mais primitivos do universo em que ele era tão pequeno que já não se poderia ignorar os efeitos em pequena escala da outra grande teoria parcial do século XX: a mecânica quântica. No começo da década de 1970, portanto, fomos forçados a mudar nossa busca por uma compreensão do universo com base em nossa teoria do extraordinariamente vasto para nossa teoria do extraordinariamente minúsculo. Esta, a da mecânica quântica, será descrita a seguir, antes de nos voltarmos para os esforços de combinar as duas teorias parciais em uma única teoria da gravitação quântica.

4

O PRINCÍPIO DA INCERTEZA

O SUCESSO DAS TEORIAS CIENTÍFICAS, EM PARTICULAR DA TEORIA da gravitação de Newton, levou o cientista francês marquês de Laplace, no início do século XIX, a sustentar que o universo era totalmente determinista. Laplace sugeriu que devia haver um conjunto de leis científicas que nos permitiria prever tudo o que aconteceria no universo, se ao menos conhecêssemos seu estado completo a certa altura. Por exemplo, se soubéssemos as posições e velocidades do Sol e dos planetas em determinado momento, poderíamos usar as leis de Newton para calcular o estado do Sistema Solar em qualquer outro momento. O determinismo parece razoavelmente óbvio nesse caso, mas Laplace foi além e presumiu que havia leis semelhantes governando tudo o mais, incluindo o comportamento humano.

A doutrina do determinismo científico sofreu forte resistência de muitas pessoas, que achavam que ela infringia a liberdade divina de intervir no mundo, mas continuou como pressuposto-padrão da ciência até o início do século XX. Um dos primeiros indicativos de que essa crença teria de ser abandonada surgiu quando cálculos feitos pelos cientistas britânicos lorde Rayleigh e Sir James Jeans sugeriram que um corpo ou objeto quente, como uma estrela, devia irradiar energia a uma taxa infinita. Segundo as leis em que acreditávamos na época, um corpo quente devia emitir ondas eletromagnéticas (tais como ondas de rádio, luz visível ou raios X) igualmente em todas as frequências. Por exemplo, um corpo quente devia irradiar a mesma quantidade de energia tanto em ondas com frequências entre um e dois trilhões de ondas por segundo como em ondas com frequências entre dois e três trilhões de ondas por segundo. Ora, uma vez que o número de ondas por segundo é ilimitado, o total de energia irradiada seria infinito.

A fim de evitar esse resultado obviamente absurdo, o cientista alemão Max Planck sugeriu, em 1900, que a luz, os raios X e outras ondas não podiam ser emitidos a uma taxa arbitrária, mas apenas em certos pacotes, que ele chamou de quanta. Além do mais, cada quantum tinha um montante de energia que aumentava quanto maior fosse a frequência das ondas, de modo que, a uma frequência elevada o bastante, a emissão de um único quantum exigiria mais energia do que havia disponível. Desse modo, a radiação em altas frequências seria reduzida e a taxa em que o corpo perde energia seria finita.

A hipótese quântica explicava muito bem a taxa observada de emissão de radiação dos corpos quentes, mas suas implicações para o determinismo só foram percebidas em 1926, quando outro cientista alemão, Werner Heisenberg, formulou seu famoso princípio da incerteza. A fim de prever a posição e a velocidade futuras de uma partícula, temos de ser capazes de medir com precisão a posição e a velocidade atuais. A maneira óbvia de fazer isso é lançar luz sobre a partícula. Algumas ondas de luz serão dispersadas por ela, e isso indicará sua posição. Entretanto, não seremos capazes de determinar a posição da partícula com mais precisão do que a distância entre as cristas de onda da luz, de modo que temos de usar luz de ondas curtas para medir a posição da partícula de forma precisa. Ora, pela hipótese quântica de Planck, não podemos usar uma quantidade arbitrariamente pequena de luz; temos de usar pelo menos um quantum. Esse quantum perturbará a partícula e mudará sua velocidade de uma forma que não pode ser prevista. Além do mais, com quanto mais exatidão medirmos a posição, menor será o comprimento de onda da luz necessário e, portanto, mais elevada será a energia de um único quantum. Assim, a velocidade da partícula será perturbada por uma quantidade maior. Em outras palavras, quanto mais precisamente tentarmos medir a posição da partícula, menos precisamente poderemos medir sua velocidade, e vice-versa. Heisenberg mostrou que a incerteza na posição da partícula multiplicada pela incerteza em sua velocidade multiplicada pela massa da partícula nunca pode ser menor do que um valor específico, conhecido como constante de Planck. Além disso, esse limite não depende da maneira como tentamos medir a posição ou a velocidade da partícula, nem do tipo de partícula. O princípio da incerteza de Heisenberg é uma propriedade fundamental e inescapável do mundo.

O princípio da incerteza teve implicações profundas para o modo como vemos o mundo. Mesmo após mais de setenta anos, elas ainda não foram admitidas por muitos filósofos e continuam sendo objeto de grande controvérsia. O princípio da incerteza sinalizou um fim para o sonho de Laplace de uma teoria da ciência, um modelo completamente determinista do universo: ora, ninguém pode prever eventos futuros com exatidão se não é capaz sequer de medir de forma precisa o atual estado do universo! É possível, ainda, imaginar que haja um conjunto de leis que determinam os eventos por completo para um ser sobrenatural, que seria capaz de observar o estado presente do universo sem perturbá-lo. Entretanto, tais modelos do universo não são de grande interesse para nós, meros mortais. Parece mais válido empregar o princípio econômico conhecido como navalha de Occam e eliminar todos os aspectos inobserváveis da teoria. Essa abordagem levou Heisenberg, Erwin Schrödinger e Paul Dirac, na década de 1920, a reformular a mecânica em uma nova teoria chamada mecânica quântica, baseada no princípio da incerteza. Nessa teoria, as partículas não mais apresentam posições e velocidades independentes e bem definidas que não podem ser observadas. Em vez disso, possuem um estado quântico, que é uma combinação de posição e velocidade.

De modo geral, a mecânica quântica não prevê um resultado único e definitivo para uma observação. Em vez disso, prevê um número de resultados possíveis e nos informa sobre a probabilidade de cada um. Isso equivale a dizer que, se fizéssemos a mesma medição em um grande número de sistemas semelhantes, todos iniciados da mesma maneira, descobriríamos que o resultado seria A em determinados casos, B em outros e assim por diante. Poderíamos prever o número aproximado de vezes que o resultado seria A ou B, mas não o resultado específico de uma medição individual. Assim, a mecânica quântica introduz um elemento inevitável de imprevisibilidade ou aleatoriedade à ciência. Einstein se opôs fortemente a isso, a despeito do importante papel que ele próprio desempenhara no desenvolvimento dessas ideias. Ele foi agraciado com o Prêmio Nobel por sua contribuição à teoria quântica. Não obstante, nunca aceitou que o universo fosse governado pelo acaso; seus sentimentos foram resumidos em sua famosa frase "Deus não joga dados". A maioria dos outros cientistas, porém, estava disposta a aceitar a mecânica quântica porque ela combinava perfeitamente com a experimentação. De fato, a teoria tem se mostrado bem-sucedida e fundamenta quase toda a ciência e a tecnologia modernas. Ela governa o comportamento dos transistores e circuitos integrados, componentes essenciais de aparelhos eletrônicos como televisores e computadores, e também é a base da química e da biologia modernas. As únicas áreas da ciência física nas quais a mecânica quântica ainda não foi devidamente incorporada são a gravitação e a estrutura em grande escala do universo.

Embora a luz seja feita de ondas, a hipótese quântica de Planck nos diz que, em alguns aspectos, ela se comporta como se fosse constituída de partículas: pode ser emitida ou absorvida apenas em pacotes, ou quanta. Da mesma forma, o princípio da incerteza de Heisenberg sugere que, em alguns aspectos, as partículas se comportam como ondas: elas não têm posição definida, mas estão "borradas" com certa distribuição de probabilidade. A teoria da mecânica quântica se baseia em um tipo inteiramente novo de matemática que não mais descreve o mundo real em termos de partículas e ondas — apenas as observações do mundo podem ser descritas nesses termos. Há, assim, uma dualidade entre ondas e partículas na mecânica quântica: para alguns propósitos, é útil pensar nas partículas como ondas e, para outros, é melhor pensar nas ondas como partículas. Uma consequência importante disso é que podemos observar o que chamamos de interferência entre dois conjuntos de ondas ou partículas. Ou seja, as cristas de um conjunto de ondas podem coincidir com os vales de outro conjunto. Assim, os dois se cancelam, em vez de se somar em uma onda mais forte, como seria de se esperar [Figura 4.1]. Um exemplo comum da interferência no caso da luz é o das cores que vemos em bolhas de sabão. Elas são causadas pelo reflexo da luz nos dois lados da fina película de água que forma a bolha. A luz branca consiste em ondas de luz de todos os comprimentos, ou cores. Para determinados comprimentos de onda, as cristas refletidas de um lado da película de sabão coincidem com os vales refletidos do outro lado. As cores correspondentes a esses comprimentos de onda estão ausentes da luz refletida, que, desse modo, parece colorida.

A interferência também pode ocorrer com as partículas, graças à dualidade introduzida pela mecânica quântica. Um exemplo famoso é o chamado experimento da fenda dupla [Figura 4.2]. Considere uma divisória com duas fendas estreitas e paralelas. De um lado da divisória, fixamos uma fonte de luz de uma cor específica (ou seja, de um comprimento de onda específico). A maior parte da luz atingirá a divisória, mas uma pequena quantidade passará pelas fendas. Agora, suponha que coloquemos uma tela do outro lado da divisória. Qualquer ponto na tela receberá ondas das duas fendas. Entretanto, em geral, a distância que a luz precisará viajar da fonte até a tela passando pelas fendas será diferente. Isso significa que as ondas das fendas não estarão em fase quando chegarem à tela: em alguns lugares, elas se anularão e, em outros, se reforçarão. O resultado é um padrão característico de faixas de luz e sombra.

O notável é que produzimos exatamente o mesmo tipo de faixas se substituímos a fonte de luz por uma fonte de partículas, como elétrons, com uma velocidade definida (isso significa que as ondas correspondentes têm um comprimento definido). Isso parece ainda mais peculiar porque, quando se tem apenas uma fenda, não surgem faixas — apenas uma distribuição uniforme de elétrons pela tela. Desse modo, poderíamos pensar que a abertura de outra fenda apenas aumentaria o número de elétrons que atingem cada ponto da tela, mas, devido à interferência, a quantidade de elétrons na verdade diminui em alguns lugares. Quando os elétrons são enviados um de cada vez pelas fendas, seria de se esperar que cada um passasse por uma ou outra fenda e, assim, se comportasse exatamente como se a fenda pela qual passasse fosse a única existente — proporcionando uma distribuição uniforme na tela. Na realidade, porém, mesmo quando os elétrons são enviados um de cada vez, as faixas continuam aparecendo. Portanto, cada elétron deve estar passando por *ambas* as fendas ao mesmo tempo!

O fenômeno da interferência entre partículas foi crucial para a nossa compreensão da estrutura dos átomos — as unidades básicas da química e da biologia e os blocos constituintes a partir dos quais nós, e tudo à nossa volta, somos feitos. No início do século XX, pensava-se que os átomos eram mais como planetas orbitando o Sol, com elétrons (partículas de eletricidade negativa) orbitando um núcleo central, que carregava eletricidade positiva. A atração entre a eletricidade positiva e a negativa supostamente mantinha os elétrons

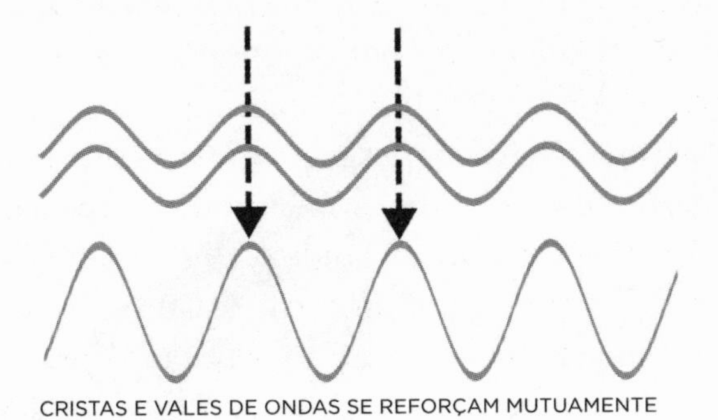
EM FASE
CRISTAS E VALES DE ONDAS SE REFORÇAM MUTUAMENTE

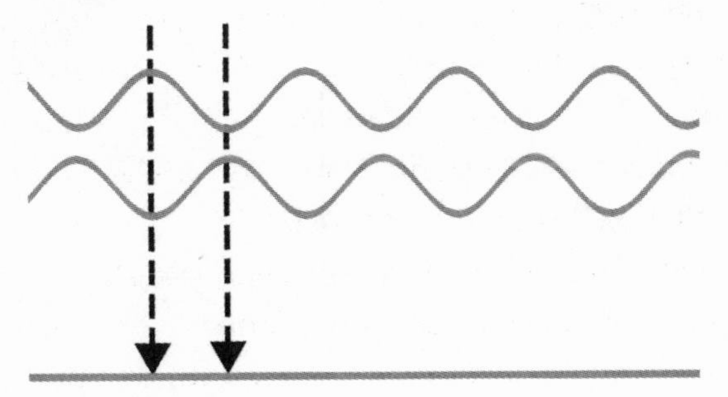
FORA DE FASE
CRISTAS E VALES DE ONDA SE ANULAM

FIGURA 4.1

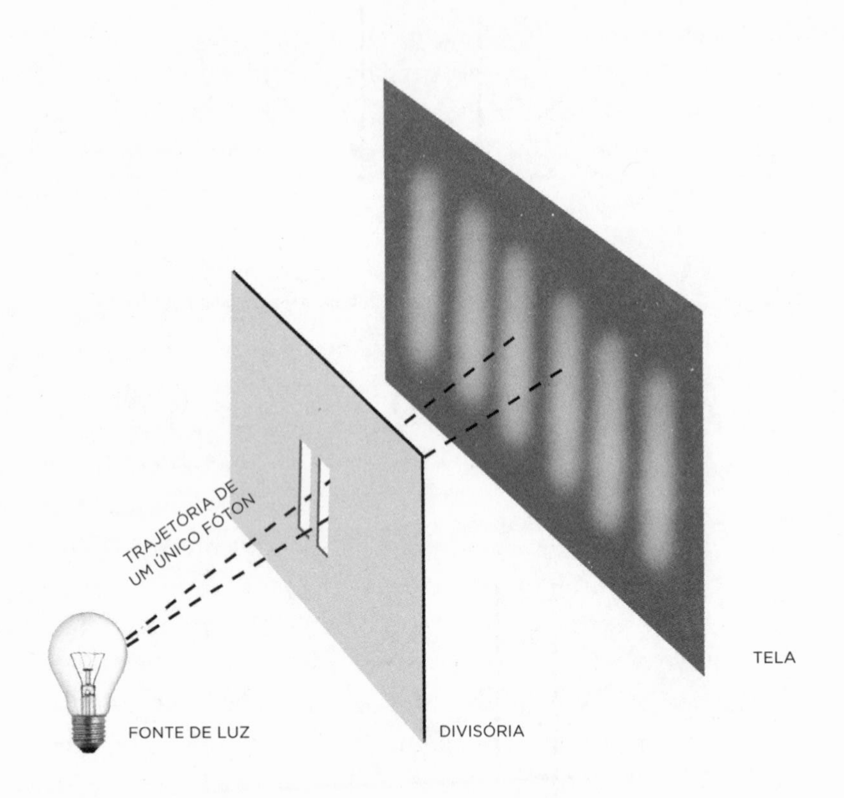

FIGURA 4.2

em suas órbitas da mesma forma como a atração gravitacional do Sol mantém os planetas. O problema era que, antes da mecânica quântica, as leis da mecânica e da eletricidade previam que os elétrons perderiam energia e, por isso, entrariam em uma espiral para dentro até colidir com o núcleo. Isso significaria que o átomo, e, com efeito, toda matéria, deveria sofrer um colapso rápido até alcançar um estado de densidade muito alta. Em 1913, o cientista dinamarquês Niels Bohr encontrou uma solução parcial para esse problema. Ele sugeriu que os elétrons talvez não fossem capazes de orbitar o núcleo central a uma distância qualquer, mas apenas a distâncias específicas. Se supuséssemos, ainda, que apenas um ou dois elétrons pudessem orbitar a cada uma dessas distâncias, isso resolveria o problema do colapso do átomo, pois os elétrons só poderiam espiralar para dentro até preencher as órbitas mais próximas e de menos energia.

Esse modelo explicava muito bem a estrutura do átomo mais simples, o hidrogênio, que tem um único elétron orbitando o núcleo. No entanto, não estava claro como devíamos estender isso para átomos mais complexos. Além do mais, a ideia de um conjunto limitado de órbitas permitidas parecia muito arbitrária. A nova teoria da mecânica quântica resolveu essa dificuldade. Ela revelou que um elétron orbitando o núcleo podia ser visto como uma onda, cujo comprimento dependia de sua velocidade. O comprimento de determinadas órbitas corresponderia a um número inteiro (isto é, não fracionário) de comprimentos de onda do elétron. Nesses casos, a crista da onda estaria na mesma posição a cada volta, de modo que as ondas se somariam: essas órbitas corresponderiam às órbitas permitidas de Bohr. Entretanto, nos casos em que comprimentos não fossem um número inteiro de comprimentos de onda, cada crista acabaria sendo anulada por um vale à medida que os elétrons completassem a volta — essas órbitas não seriam permitidas.

Um bom modo de visualizar a dualidade onda/partícula é a chamada soma de histórias, introduzida pelo cientista americano Richard Feynman. Nessa abordagem, não se espera que a partícula tenha uma única história (ou trajetória) no espaço-tempo, como seria o caso com uma teoria clássica, não quântica. Em vez disso, supõe-se que ela vá de A para B por todas as trajetórias possíveis. Cada trajetória está associada a dois números: um representa o tamanho de uma onda e o outro, a posição no ciclo (ou seja, se é um vale ou uma crista). A probabilidade de uma partícula ir de A para B é obtida a partir da soma das ondas para todas as trajetórias. Em geral, se compararmos um conjunto de trajetórias vizinhas, as fases ou posições no ciclo apresentarão variações enormes. Isso significa que as ondas associadas a essas trajetórias se anularão umas às outras de maneira quase exata. Porém, para alguns conjuntos de trajetórias vizinhas, a fase não variará muito. As ondas para essas trajetórias não se anularão. Tais trajetórias correspondem às órbitas permitidas de Bohr.

Com essas ideias, em uma formulação matemática concreta, foi relativamente simples calcular as órbitas permitidas em átomos mais complexos e até em moléculas, que são feitas de átomos unidos por elétrons que orbitam mais de um núcleo. Como a estrutura das moléculas e suas reações entre si formam a base da química e da biologia, em princípio a mecânica quântica nos permite prever quase tudo o que vemos à nossa volta, dentro dos limites estabelecidos pelo princípio da incerteza. (Contudo, na prática os cálculos exigidos para sistemas contendo mais do que uns poucos elétrons são tão complicados que não conseguimos fazê-los.)

A teoria da relatividade geral de Einstein parece governar a estrutura em grande escala do universo. Ela é o que se chama de teoria clássica; ou seja, não leva em consideração o princípio da incerteza da mecânica quântica, como deveria fazer para fins de compatibilidade com outras teorias. O motivo para que isso não leve a qualquer discrepância em relação à observação é que todos os campos gravitacionais que costumamos experimentar são muito fracos. Entretanto, os teoremas da singularidade discutidos aqui indicam que o campo gravitacional deve ficar muito forte em pelo menos duas situações: os buracos negros e o Big Bang. Em campos fortes como esses, os efeitos da mecânica quântica devem ser importantes. Desse modo, em certo sentido, ao prever pontos de densidade infinita, a relatividade geral clássica prevê sua própria derrocada, assim como a mecânica clássica (ou seja, não quântica) prevê sua derrocada ao sugerir que os átomos devem alcançar densidade infinita. Ainda não dispomos de uma teoria consistente e completa que unifique a relatividade geral e a mecânica quântica, mas conhecemos algumas das características que ela deve ter. As consequências que elas teriam para os buracos negros e o Big Bang serão descritas em capítulos posteriores. Por ora, contudo, devemos nos voltar às tentativas recentes de juntar nosso entendimento das demais forças da natureza em uma teoria quântica unificada.

5

PARTÍCULAS ELEMENTARES E AS FORÇAS DA NATUREZA

ARISTÓTELES ACREDITAVA QUE TODA A MATÉRIA DO UNIVERSO era feita de quatro elementos básicos — terra, ar, fogo e água. Esses elementos eram regulados por duas forças: gravidade (tendência da terra e da água de afundar) e leveza (tendência do ar e do fogo de subir). Essa divisão dos conteúdos do universo em matéria e forças ainda é usada hoje.

Aristóteles acreditava que a matéria era contínua, ou seja, seria possível dividir um pedaço de matéria em partes cada vez menores sem limite algum: nunca chegaríamos a um grão de matéria que não pudesse ser dividido mais uma vez. No entanto, alguns gregos, como Demócrito, afirmavam que a matéria era inerentemente granulosa e que tudo era feito de grandes quantidades de vários tipos diferentes de átomos. (A palavra átomo significa "indivisível" em grego.) Por séculos, a discussão prosseguiu sem qualquer evidência real tanto de um lado como de outro, mas em 1803 o químico e físico britânico John Dalton chamou a atenção para o fato de que compostos químicos que sempre se combinavam em determinadas proporções podiam ser explicados pelo agrupamento de átomos para formar unidades chamadas moléculas. Entretanto, o debate entre as duas escolas de pensamento foi decidido em favor dos atomistas apenas nos primeiros anos do século XX. Uma das evidências físicas importantes foi fornecida por Einstein. Em um artigo escrito em 1905, poucas semanas antes do famoso artigo sobre a relatividade restrita, Einstein observou que o chamado movimento browniano — o movimento irregular e aleatório de pequenas partículas de poeira suspensas em um líquido — podia ser descrito como o efeito dos átomos do líquido colidindo com as partículas de poeira.

Nessa época, já se desconfiava que esses átomos não fossem, afinal, indivisíveis. Vários anos antes, um membro do Trinity College de Cambridge, J. J. Thomson, demonstrara a existência de uma partícula de matéria, chamada elétron, cuja massa equivalia a menos de um milésimo da massa do átomo mais leve. Ele usou uma instalação que mais parecia o tubo catódico de uma televisão moderna: um filamento de metal incandescente emitia os elétrons e, como estes tinham carga elétrica negativa, podia-se usar um campo elétrico para acelerá-los em direção a uma tela revestida de fósforo. Quando os elétrons atingiam a tela, ocorriam clarões de luz. Logo percebeu-se que esses elétrons deviam estar vindo de dentro dos próprios átomos, e, em 1911, o físico neozelandês Ernest Rutherford enfim mostrou que os átomos de matéria de fato possuem estrutura interna: eles são feitos de um núcleo extremamente diminuto, de carga positiva, em torno do qual orbita uma quantidade de elétrons. Rutherford deduziu isso ao analisar o modo como as partículas alfa, que são partículas de carga positiva emitidas por átomos radioativos, são desviadas quando colidem com átomos.

No início, pensava-se que o núcleo do átomo fosse feito de elétrons e de quantidades variadas de uma partícula de carga positiva chamada próton — que significa "primeiro" em grego, porque se acreditava que essa era a unidade fundamental da qual toda matéria era feita. Entretanto, em 1932, um colega de Rutherford em Cambridge, James Chadwick, descobriu que o núcleo continha outra partícula, chamada nêutron, cuja massa era quase a mesma de um próton, mas sem carga elétrica. Chadwick recebeu o Prêmio Nobel por sua descoberta e foi eleito diretor do Gonville and Caius College de Cambridge (faculdade da qual hoje sou membro). Mais tarde, ele renunciou ao cargo devido a desentendimentos com os chefes de departamento. Surgiu uma amarga disputa na faculdade quando esse grupo de jovens chefes de departamento, ao voltar da Primeira Guerra Mundial, votou pela exoneração de vários professores antigos que ocupavam seus cargos havia muito tempo. Isso foi antes da minha época; fui aceito nessa faculdade em 1965, no período final desses ressentimentos, quando divergências semelhantes forçaram outro diretor ganhador do Prêmio Nobel, Sir Nevill Mott, a renunciar.

Há algumas décadas, pensava-se que prótons e nêutrons fossem partículas "elementares", mas experimentos em que prótons colidiam a altas velocidades com outros prótons ou elétrons indicaram que, na verdade, eles eram feitos de partículas menores. Essas partículas foram chamadas de quarks pelo físico Murray Gell-Mann, do Instituto de Tecnologia da Califórnia (Caltech), que ganhou o Prêmio Nobel em 1969 por esse trabalho. A origem do nome é uma frase enigmática de James Joyce: "Three quarks for Muster Mark!" A palavra *quark* deveria ser pronunciada como *quart*, mas com um *k* no fim em vez de *t*, só que, em geral, pronuncia-se de modo a rimar com *lark*.*

Há diferentes variedades de quarks: são seis "sabores", que chamamos de *up, down, strange, charmed, bottom* e *top* [respectivamente,

* Pronuncia-se o fonema vocálico da palavra *quart* (ou "quarto", uma medida para líquidos) com algo como "uó" (com diferentes graus de abertura, segundo o inglês americano, o britânico, o irlandês etc.). Já a palavra *lark* (cotovia) é pronunciada "lark". (N. do T.)

cima, baixo, estranho, charme, base e topo]. Os primeiros três sabores são conhecidos desde a década de 1960, mas o quark *charmed* foi descoberto apenas em 1974; o *bottom*, em 1977; e o *top* em 1995. Cada sabor vem em três "cores": vermelho, verde e azul. (Vale enfatizar que esses termos não passam de rótulos: quarks são muito menores do que o comprimento de onda da luz visível e desse modo não têm qualquer cor no sentido normal. É que os físicos modernos têm maneiras mais criativas de nomear partículas e fenômenos novos — eles não se restringem mais ao grego!) Um próton ou nêutron é composto de três quarks, um de cada cor. O próton contém dois quarks *up* e um quark *down*; o nêutron, dois *down* e um *up*. Podemos criar partículas feitas dos outros quarks (*strange, charmed, bottom* e *top*), mas elas têm massa muito maior e decaem muito depressa em prótons e nêutrons.

Hoje sabemos que nem os átomos nem os prótons e nêutrons dentro deles são indivisíveis. Assim, a questão é: quais são as partículas de fato elementares, os blocos constituintes básicos a partir dos quais tudo é feito? Como o comprimento de onda da luz é muito maior do que o tamanho de um átomo, não podemos esperar "olhar" para as partes de um átomo do modo normal. Precisamos usar algo com um comprimento de onda muito menor. Como vimos no capítulo anterior, a mecânica quântica nos diz que, na verdade, todas as partículas são ondas e que, quanto mais elevada a energia de uma partícula, menor o comprimento de sua onda. Assim, a melhor resposta que podemos dar para a nossa pergunta depende de quão elevada é a energia da partícula à nossa disposição, pois isso determina quão pequena é a escala de comprimento que podemos observar. Em geral, essas energias de partícula são medidas em unidades chamadas elétrons-volt. (Nos experimentos de Thomson, vimos que ele usou um campo elétrico para acelerar os elétrons. A energia que um elétron obtém de um campo elétrico de um volt é o que conhecemos por elétron-volt.) No século XIX, quando as únicas energias de partícula que sabíamos usar eram as baixas energias de uns poucos elétrons-volt gerados por reações químicas como a combustão, acreditava-se que os átomos eram a menor unidade. No experimento de Rutherford, as partículas alfa tinham energias de milhões de elétrons-volt. Mais recentemente, descobrimos como usar campos eletromagnéticos para dar às partículas energias de milhões, e mais tarde bilhões, de elétrons-volt. E, desse modo, sabemos que as partículas que julgávamos "elementares" há algumas décadas são, na verdade, constituídas de partículas menores. Será que descobriremos, à medida que obtivermos energias ainda mais altas, que elas são feitas de partículas ainda menores? Sem dúvida isso é possível, porém temos algumas razões teóricas para acreditar que hoje dispomos de algum conhecimento dos blocos constituintes fundamentais da natureza, ou que estamos muito perto disso.

Usando a dualidade onda/partícula discutida no capítulo anterior, tudo no universo, incluindo a luz e a gravidade, pode ser descrito em termos de partículas. Essas partículas têm uma propriedade chamada *spin* [giro]. Um modo de pensar no *spin* é imaginar as partículas como pequenos piões girando em torno de um eixo. Entretanto, isso pode enganar, pois a mecânica quântica nos diz que as partículas não têm eixo bem definido. O que o *spin* de fato nos informa é o aspecto da partícula a partir de direções diferentes. Uma partícula de *spin* 0 é como um ponto: parece a mesma de qualquer direção [Figura 5.1-i]. Por outro lado, uma partícula de *spin* 1 é como uma seta: parece diferente quando de direções distintas [Figura 5.1-ii]. A partícula parece a mesma apenas se a giramos em uma rotação completa (360 graus). Uma partícula de *spin* 2 é como uma seta de duas pontas [Figura 5.1-iii]: parece a mesma se a giramos em meia rotação (180 graus). Do mesmo modo, partículas de *spin* mais elevado parecem as mesmas se as giramos por frações inferiores a uma rotação completa. Tudo isso parece razoavelmente simples, mas o fato notável é que há partículas que não parecem a mesma se as giramos em uma única rotação: é preciso que cumpram duas rotações completas! Dizemos que tais partículas têm *spin* ½.

Todas as partículas conhecidas no universo podem ser divididas em dois grupos: as de *spin* ½, que constituem a matéria do universo, e as de *spin* 0, 1 e 2, que, como veremos, dão origem às forças entre as partículas de matéria. As partículas obedecem ao que se chama de princípio de exclusão de Pauli, descoberto em 1925 pelo físico austríaco Wolfgang Pauli — feito que lhe rendeu o Prêmio Nobel em 1945. Pauli era o arquétipo do físico teórico: dizia-se que sua simples presença em uma cidade bastaria para fazer os experimentos por lá darem errado! O princípio de exclusão de Pauli diz que duas partículas semelhantes não podem existir no mesmo estado; ou seja, elas não podem ter a mesma posição e a mesma velocidade, dentro dos limites impostos pelo princípio da incerteza. O princípio de exclusão é crucial, pois explica por que partículas de matéria não atingem um estado de densidade muito elevada sob a influência das forças produzidas pelas partículas de *spin* 0, 1 e 2: se elas tiverem praticamente as mesmas posições, devem ter velocidades diferentes, o que significa que não ficarão na mesma posição por muito tempo. Se o mundo tivesse sido criado sem o princípio de exclusão, os quarks não formariam prótons e nêutrons. Tampouco estes formariam, juntamente com os elétrons, átomos. Eles entrariam em colapso para formar uma "sopa" mais ou menos uniforme e densa.

Apenas em 1928 chegou-se a uma compreensão adequada do elétron e de outras partículas de *spin* ½, com uma teoria proposta por Paul Dirac, mais tarde eleito professor lucasiano de matemática em Cambridge (mesma cátedra que um dia fora de Newton e que depois eu também ocupei).* A teoria de Dirac foi a primeira de seu tipo a se mostrar compatível tanto com a mecânica quântica quanto com a teoria da relatividade restrita. Ela explicava matematicamente por que o elétron tinha *spin* ½; ou seja, por que não

* *Lucasian Professor of Mathematics*, nome derivado do fundador da cátedra (em 1663), Henry Lucas. (N. do T.)

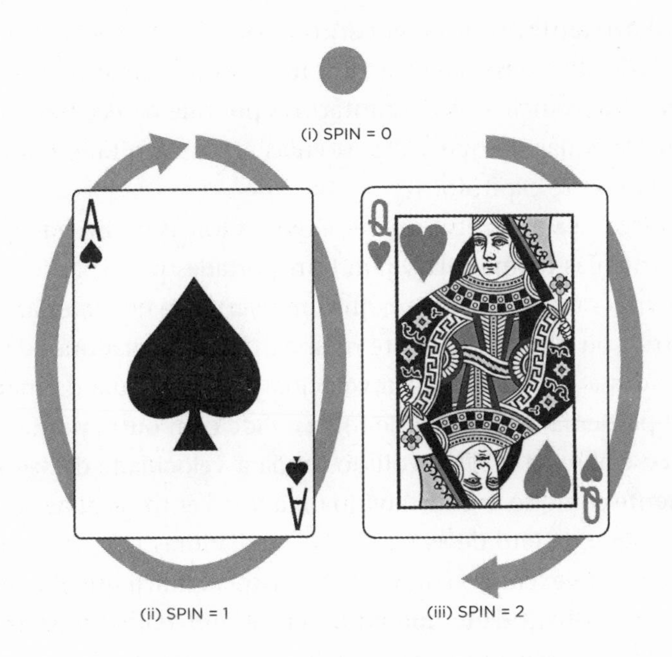

FIGURA 5.1

parecia o mesmo se completasse apenas uma rotação, mas sim se fizesse duas rotações. Também previa que o elétron devia ter um parceiro: um antielétron, ou pósitron. A descoberta do pósitron em 1932 confirmou a teoria de Dirac, e ele ganhou o Nobel de física em 1933. Sabemos agora que toda partícula tem uma antipartícula, com a qual ela pode se aniquilar. (No caso das partículas mediadoras de força, as antipartículas são idênticas às partículas.) Pode haver antimundos e antipessoas totalmente feitos de antipartículas. Entretanto, se você encontrar seu antieu, não apertem as mãos! Vocês dois desaparecerão em um grande clarão de luz. É de extrema importância nos perguntarmos por que parece haver muito mais partículas do que antipartículas à nossa volta, e voltarei a tal questão neste capítulo.

Na mecânica quântica, supõe-se que as forças ou interações entre as partículas de matéria sejam transportadas pelas partículas de *spin* inteiro — 0, 1 ou 2. Ocorre que uma partícula de matéria, como um elétron ou um quark, emite uma partícula mediadora de força. O recuo dessa emissão muda a velocidade da partícula de matéria. Então a partícula mediadora de força colide com outra partícula de matéria e é absorvida. Essa colisão muda a velocidade da segunda, exatamente como se tivesse havido uma força entre as duas partículas de matéria. O fato de as partículas mediadoras não obedecerem ao princípio de exclusão é importante. Isso significa que não existe limite para a quantidade que pode ser permutada, e, desse modo, elas podem dar origem a uma força forte.* Entretanto, se as partículas mediadoras de força têm massa elevada, será difícil produzi-las e permutá-las a uma distância grande. Assim, as forças que elas trans-

* Embora a expressão possa causar alguma estranheza ao leitor pouco familiarizado com o assunto, em português consagrou-se usar força (nuclear) forte e força (nuclear) fraca para duas das quatro interações fundamentais dos fenômenos físicos (como se verá a seguir) — estranheza que não ocorre em inglês com o uso de *strong force* e *weak force*. (N. do T.)

mitem terão apenas um alcance curto. Por outro lado, se as partículas mediadoras não possuem massa própria, as forças serão de longo alcance. Dizemos que as partículas mediadoras permutadas entre as partículas de matéria são virtuais porque, ao contrário das "reais", não podem ser percebidas diretamente por um detector de partículas. No entanto, sabemos de sua existência porque elas de fato têm um efeito mensurável: dão origem a forças entre partículas de matéria. Partículas de *spin* 0, 1 ou 2 também existem em determinadas circunstâncias como partículas reais, quando podem ser detectadas diretamente. Elas se mostram como o que um físico clássico chamaria de ondas, tal como ondas de luz ou ondas gravitacionais. Às vezes, elas podem ser emitidas quando partículas de matéria interagem permutando partículas mediadoras virtuais. (Por exemplo, a força elétrica repulsiva entre dois elétrons se deve à troca de fótons virtuais, que nunca podem ser detectados diretamente; mas, se um elétron passa por outro, fótons reais podem ser emitidos, o que detectamos como ondas de luz.)

As partículas mediadoras podem ser agrupadas em quatro categorias, de acordo com a força da interação que transmitem e as partículas com que interagem. Deve-se enfatizar que essa divisão é artificial; ela é conveniente para a construção de teorias parciais, mas talvez não corresponda a nada mais profundo. Em última análise, a maioria dos físicos espera encontrar uma teoria unificada que um dia explique as quatro forças como aspectos diferentes de uma única força. Na verdade, muitos diriam que esse é hoje o principal objetivo da física. Recentemente, têm surgido tentativas bem-sucedidas de unificar três das quatro categorias — e eu as descreverei neste capítulo. Quanto ao problema da categoria remanescente, a gravidade, devemos deixá-la para mais tarde.

A primeira categoria é a força gravitacional. Ela é universal, ou seja, toda partícula sente a força da gravidade, de acordo com sua massa ou energia. A gravidade é, de longe, a mais fraca das quatro forças. É tão fraca que nem a notaríamos, não fossem duas propriedades especiais: ela pode agir a longas distâncias e sempre exerce atração. Isso significa que as forças gravitacionais muito fracas entre as partículas individuais em dois grandes corpos, como a Terra e o Sol, podem se somar para produzir uma força significativa. As outras três forças ou têm curto alcance ou são às vezes atrativas e às vezes repulsivas e, assim, tendem a se anular. Sob a lente da mecânica quântica, no campo gravitacional representa-se a força entre duas partículas de matéria como sendo transmitida por uma partícula de *spin* 2 chamada gráviton. Ela não possui massa própria, de modo que a força que transmite é de longo alcance. Dizemos que a força gravitacional entre o Sol e a Terra é a troca de grávitons entre as partículas que compõem esses corpos. Embora as partículas permutadas sejam virtuais, elas sem dúvida produzem um efeito mensurável — fazem com que a Terra orbite o Sol! Grávitons reais produzem o que os físicos clássicos chamariam de ondas gravitacionais, que são muito fracas — e tão difíceis de detectar que ainda não foram observadas.

A categoria seguinte é a força eletromagnética, que interage com partículas eletricamente carregadas, como elétrons e quarks, mas não com partículas sem carga, como os grávitons. Ela é muito mais forte do que a gravidade: a força eletromagnética entre dois elétrons é cerca de um milhão de milhões de milhões de milhões de milhões de milhões de milhões (1 seguido de 42 zeros) de vezes maior do que a força gravitacional. Entretanto, há dois tipos de carga elétrica: positiva e negativa. A força entre duas cargas positivas é repulsiva, tal como entre duas cargas negativas, mas é atrativa entre uma carga positiva e uma negativa. Um corpo grande, como a Terra ou o Sol, contém quantidades quase iguais de cargas positivas e negativas. Assim, as forças de atração e de repulsão entre as partículas individuais quase se anulam, e o resultado é uma força eletromagnética baixíssima. Contudo, nas pequenas escalas de átomos e moléculas, as forças eletromagnéticas dominam. A atração entre elétrons carregados negativamente e prótons carregados positivamente no núcleo faz os elétrons orbitarem o núcleo do átomo, assim como a atração gravitacional faz a Terra orbitar o Sol. Concebemos a atração eletromagnética como sendo causada pela troca de grandes quantidades de partículas virtuais sem massa e de *spin* 1, chamadas fótons. Mais uma vez, os fótons permutados são partículas virtuais. No entanto, quando um elétron muda de uma órbita permitida para outra, mais próxima do núcleo, libera-se energia e emite-se um fóton real — que pode ser observado como luz visível pelo olho humano, se tiver o comprimento de onda adequado, ou por um detector de fótons, como um filme fotográfico. Do mesmo modo, se um fóton real colide com um átomo, ele pode mover um elétron de uma órbita mais próxima do núcleo para uma mais distante. Isso consome a energia do fóton, e assim ele é absorvido.

A terceira categoria se chama força nuclear fraca: ela é responsável pela radioatividade e atua sobre todas as partículas de matéria de *spin* ½, mas não sobre partículas de *spin* 0, 1 ou 2, como fótons e grávitons. A força nuclear fraca só passou a ser mais bem compreendida em 1967, quando Abdus Salam, do Imperial College de Londres, e Steven Weinberg, de Harvard, propuseram teorias que unificaram essa interação com a força eletromagnética, assim como Maxwell unificara a eletricidade e o magnetismo cerca de cem anos antes. Eles sugeriram que, além do fóton, há três outras partículas de *spin* 1, conhecidas coletivamente como bósons vetoriais massivos, que transportam a força fraca. Essas partículas são chamadas de W^+ (dizemos W positivo), W^- (dizemos W negativo) e Z^0 (dizemos Z nulo), e cada uma tem massa de cerca de cem GeV (GeV corresponde a gigaelétron-volt, ou um bilhão de elétrons-volt). A teoria Weinberg-Salam exibe uma propriedade conhecida como ruptura espontânea de simetria. Isso significa que o que parece uma série de partículas completamente diferentes sob baixas energias constitui, na verdade, o mesmo tipo de partícula, apenas em estados diferentes. Sob altas energias, essas partículas se comportam de maneira semelhante. O efeito é bem parecido com o comportamento de uma bolinha girando na roleta. Sob altas energias (quando a roleta gira depressa), a bola se comporta essencialmente de um único modo — segue dando voltas e mais voltas. Contudo, à medida que a roleta perde velocidade, a energia da bolinha diminui, e no fim ela acaba caindo dentro de uma das 37 casas numeradas. Em outras palavras, sob baixas energias, a bola pode existir em 37 estados. Se, por algum motivo, só pudéssemos observar a bolinha a baixas energias, julgaríamos haver 37 tipos de bola!

Na teoria Weinberg-Salam, sob energias muito maiores do que cem GeV, as três partículas novas e o fóton se comportariam de maneira semelhante. Contudo, sob as energias mais baixas que ocorrem na maioria das situações normais, essa simetria entre as partículas se quebraria. W^+, W^- e Z^0 adquiririam grandes massas, fazendo as forças transportadas por elas ter alcance muito curto. Na época em que Salam e Weinberg propuseram sua teoria, poucos acreditaram neles, e os aceleradores de partículas não tinham potência suficiente para atingir as energias de cem GeV exigidas para a produção de partículas W^+, W^- ou Z^0 reais. Entretanto, ao longo dos dez anos seguintes, mais ou menos, as outras previsões da teoria sob baixas energias corresponderam tão bem à experimentação que, em 1979, Salam e Weinberg receberam o Prêmio Nobel de física, juntamente com Sheldon Glashow, também de Harvard, que sugerira teorias unificadas semelhantes das forças eletromagnética e nuclear fraca. O comitê do Nobel foi poupado do constrangimento de ter cometido um equívoco quando em 1983, no Cern (Organização Europeia para a Pesquisa Nuclear), foram descobertos os três parceiros massivos do fóton, com as massas e outras propriedades previstas corretamente. Carlo Rubbia, que liderou a equipe de centenas de físicos responsável pelo achado, recebeu o Nobel em 1984, juntamente com Simon van der Meer, o engenheiro do Cern que desenvolveu o sistema de armazenamento de antimatéria utilizado. (Hoje em dia é muito difícil deixar sua marca na física experimental a menos que você já esteja no topo!)

A quarta categoria é a força nuclear forte, que mantém os quarks unidos no próton e no nêutron e também os prótons e nêutrons unidos no núcleo de um átomo. Acredita-se que essa força seja transmitida por outra partícula de *spin* 1, chamada glúon, que interage apenas consigo mesma e com os quarks. A força nuclear forte tem uma curiosa propriedade chamada confinamento: ela sempre combina partículas incolores. Não se pode ter um único quark isolado porque ele teria uma cor (vermelho, verde ou azul). Em vez disso, um quark vermelho precisa estar associado a um verde e um azul por um "fio" de glúons (vermelho + verde + azul = branco). Um trio como esse constitui um próton ou um nêutron. Outra possibilidade é um par consistindo de um quark e um antiquark (vermelho + antivermelho, ou verde + antiverde, ou azul + antiazul = branco). Tais combinações produzem as partículas conhecidas como mésons, que são instáveis porque o quark e o antiquark podem se aniquilar, gerando elétrons e outras partículas. Do mesmo modo, o confinamento impede que tenhamos um único glúon isolado, pois glúons também têm cor. Em vez disso, é preciso ter uma coleção de glúons cujas cores somadas resultem em branco. Um agrupamento como esse forma uma partícula instável chamada glueball.

O fato de o confinamento impedir a observação de um quark ou glúon isolado pode fazer parecer que a ideia de quarks e glúons como partículas é um tanto metafísica. Contudo, há outra propriedade da força nuclear forte, chamada liberdade assintótica, que define bem o conceito de quarks e glúons. Em energias normais, a força nuclear forte é de fato forte e mantém os átomos bem unidos. Entretanto, experimentos com grandes aceleradores de partículas indicam que, sob energias elevadas, a força forte fica muito mais fraca, e os quarks e glúons se comportam quase como partículas livres. O sucesso da unificação das forças eletromagnética e nuclear fraca levou a uma série de tentativas de combinar essas duas forças com a força nuclear forte, na chamada teoria da grande unificação (ou GUT).* Esse título é um pouco exagerado: as teorias resultantes não são tão grandes assim, nem totalmente unificadas, já que não incluem a gravidade. Tampouco são teorias completas, pois contêm uma série de parâmetros cujos valores não podem ser previstos, mas precisam ser escolhidos de modo a se adequar ao experimento. Ainda assim, elas podem ser um passo rumo a uma teoria completa, plenamente unificada. A ideia básica é a seguinte: como mencionei, a força nuclear forte enfraquece sob energias elevadas. Por outro lado, a força eletromagnética e a força fraca, que não são assintoticamente livres, ganham força sob energias elevadas. Sob determinada energia muito elevada, chamada de energia da grande unificação, essas três forças teriam todas a mesma intensidade e, desse modo, poderiam ser apenas aspectos diferentes de uma única força. As GUTs preveem ainda que, sob essa energia, as diferentes partículas de matéria de *spin* ½, como quarks e elétrons, seriam também essencialmente a mesma, atingindo assim outra unificação.

Ainda não se sabe muito bem o valor da energia da grande unificação, mas provavelmente teria de ser de pelo menos mil trilhões de GeV. A geração atual de aceleradores de partícula pode colidir partículas a energias de cerca de cem GeV, e há projetos de máquinas que elevariam esse valor para alguns milhares de GeV. No entanto, uma máquina com potência suficiente para acelerar partículas ao nível da energia da grande unificação teria de ser do tamanho do Sistema Solar — e não seria muito fácil encontrar um financiador para o projeto na situação econômica atual. Assim, é impossível testar teorias da grande unificação diretamente em laboratório. Entretanto, como no caso da teoria unificada das forças eletromagnética e fraca, é possível testar consequências da teoria a energias baixas.

A mais interessante delas é a previsão de que prótons, que compõem grande parte da massa da matéria comum, podem decair

* Em inglês, *grand unified theory*. Não confundir com a teoria de tudo, que explicaria *todas* as interações. (N. do R.T.)

espontaneamente em partículas mais leves, como antielétrons. O motivo é que, na energia da grande unificação, não há diferença essencial entre um quark e um antielétron. Os três quarks dentro de um próton em geral não possuem energia suficiente para se transformar em antielétrons, mas muito ocasionalmente um deles pode adquirir energia para fazer a transição, pois o princípio da incerteza diz que a energia dos quarks dentro do próton não pode ser estabelecida com exatidão. O próton, então, decairia. A probabilidade de isso acontecer é tão baixa que teríamos de esperar pelo menos um milhão de milhões de milhões de milhões de milhões de anos (1 seguido de trinta zeros). É muito mais do que o tempo desde o Big Bang — pouco mais de dez bilhões de anos (1 seguido de dez zeros). Assim, pode-se pensar que seria impossível testar em laboratório a possibilidade de um decaimento espontâneo de próton. Entretanto, podemos aumentar nossas chances observando uma grande quantidade de matéria que contenha um número enorme de prótons. (Se, por exemplo, observássemos um número de prótons equivalente a 1 seguido de 31 zeros pelo período de um ano, poderíamos esperar, segundo a GUT mais simples, observar mais de um próton decair.)

Vários experimentos como esse foram realizados, mas nenhum produziu evidência definitiva do decaimento de prótons ou nêutrons. Um deles utilizou oito mil toneladas de água e foi realizado na mina de sal Morton, em Ohio (para evitar outros eventos, causados por raios cósmicos, que pudessem ser confundidos com um decaimento de próton). Como não foi observado nenhum decaimento espontâneo durante o experimento, podemos calcular que a vida provável do próton deve ser maior do que dez milhões de milhões de milhões de milhões de milhões de anos (1 seguido de 31 zeros). Isso é mais do que o tempo de vida previsto pela GUT mais simples, porém há teorias mais elaboradas em que os tempos de vida previstos são mais longos. Para testá-las, serão necessários experimentos ainda mais sensíveis envolvendo quantidades ainda maiores de matéria.

Ainda que seja muito difícil observar um decaimento espontâneo de prótons, é possível que a nossa mera existência seja consequência do processo inverso, a produção de prótons — ou, mais simplesmente, de quarks — a partir de uma situação inicial em que não havia mais quarks do que antiquarks, que é a maneira mais natural de imaginar o início do universo. A matéria na Terra é feita sobretudo de prótons e nêutrons, que por sua vez são feitos de quarks. Não existem antiprótons ou antinêutrons feitos de antiquarks, a não ser pelos poucos que os físicos produzem em grandes aceleradores de partículas. Com base em raios cósmicos, temos evidências de que o mesmo vale para toda a matéria em nossa galáxia: não há antiprótons ou antinêutrons, exceto um pequeno número produzido como pares de partícula/antipartícula em colisões sob alta energia. Se houvesse grandes regiões de antimatéria em nossa galáxia, seria de se esperar que encontrássemos grandes quantidades de radiação originárias das fronteiras entre as regiões de matéria e antimatéria, onde muitas partículas estariam colidindo com suas antipartículas, aniquilando-se mutuamente e liberando radiação de alta energia.

Não temos qualquer evidência direta de que a matéria em outras galáxias seja feita de prótons e nêutrons ou de antiprótons e antinêutrons, mas deve ser uma coisa ou outra: não pode haver uma mistura em uma única galáxia porque, nesse caso, observaríamos mais uma vez uma grande quantidade de radiação das aniquilações. Acreditamos, portanto, que todas as galáxias são compostas de quarks, e não de antiquarks. Parece implausível que algumas galáxias possam ser feitas de matéria e outras, de antimatéria.

Por que deve haver muito mais quarks do que antiquarks? Por que não há quantidades iguais de ambos? Sem dúvida, temos sorte de as quantidades serem desiguais, pois, caso contrário, quase todos os quarks e antiquarks teriam se aniquilado mutuamente no universo primitivo e deixado um universo cheio de radiação, mas quase nenhuma matéria. Assim, não haveria galáxias, estrelas ou planetas onde a vida humana pudesse ter se desenvolvido. Felizmente, as

GUTs talvez forneçam uma explicação para o motivo de o universo conter hoje mais quarks do que antiquarks, ainda que tenha começado com quantidades equivalentes dos dois. Como vimos, as GUTs permitem que os quarks se convertam em antielétrons sob alta energia. Também permitem o processo inverso: antiquarks podem virar elétrons, bem como elétrons e antielétrons podem se transformar em antiquarks e quarks, respectivamente. Houve um momento em que o universo primitivo estava tão quente que as energias das partículas eram elevadas o suficiente para permitir essas transformações. Mas por que isso deveria resultar na existência de mais quarks do que antiquarks? O motivo é que as leis da física não são as mesmas para partículas e antipartículas.

Até 1956, acreditava-se que as leis da física obedeciam separadamente a três simetrias distintas chamadas C, P e T. A simetria C diz que as leis são as mesmas para partículas e antipartículas. Já a simetria P afirma que as leis são as mesmas para qualquer situação e sua imagem espelhada (a imagem espelhada de uma partícula girando em sentido horário é uma partícula girando em sentido anti-horário). A simetria T diz que, se invertermos a direção do movimento de todas as partículas e antipartículas, o sistema deverá voltar ao que era antes; em outras palavras, as leis são as mesmas em qualquer direção do tempo, seja avançando, seja retrocedendo. Em 1956, os físicos americanos Tsung-Dao Lee e Chen Ning Yang sugeriram que a força fraca não obedece à simetria P. Ou seja, a força fraca faria o universo se desenvolver de forma diferente da imagem espelhada do universo. No mesmo ano, uma colega, Chien-Shiung Wu, demonstrou que essas previsões estavam corretas. Alinhando os núcleos de átomos radiativos em um campo magnético de modo a fazê-los girar todos na mesma direção, ela demonstrou que os elétrons eram emitidos mais em uma direção do que na outra. No ano seguinte, Lee e Yang receberam o Prêmio Nobel pela ideia. Descobriu-se também que a força fraca não obedecia à simetria C. Ou seja, ela levaria um universo composto de antipartículas a se comportar de forma diferente do nosso universo. Não obstante, parecia que a força fraca obedecia à simetria combinada CP. Ou seja, o universo se desenvolveria do mesmo modo que sua imagem espelhada se cada partícula fosse trocada por sua antipartícula! Entretanto, em 1964, outros dois americanos, J.W. Cronin e Val Fitch, descobriram que mesmo a simetria CP não era obedecida no decaimento de determinadas partículas chamadas mésons K. Em 1980, Cronin e Fitch receberam o Prêmio Nobel por seu trabalho. (Um bocado de prêmios tem sido concedido por mostrarem que o universo não é tão simples quanto se acreditava!)

Segundo um determinado teorema matemático, qualquer teoria que obedeça à mecânica quântica e à relatividade deve sempre obedecer à simetria combinada CPT. Em outras palavras, o universo teria de se comportar do mesmo modo se substituíssemos as partículas pelas antipartículas, pegássemos a imagem espelhada e invertêssemos a direção do tempo. Mas Cronin e Fitch mostraram que, se substituímos partículas por antipartículas e tomamos a imagem espelhada, mas não invertemos a direção do tempo, o universo *não* se comporta da mesma forma. As leis da física, portanto, devem mudar se a direção do tempo for invertida — elas não obedecem à simetria T.

Sem dúvida, o universo primitivo não obedece à simetria T: à medida que o tempo avança, o universo se expande — se ele andasse para trás, o universo estaria se contraindo. Além disso, como há forças que não obedecem à simetria T, à medida que o universo se expande essas forças podem resultar em mais antielétrons se transformando em quarks do que em elétrons virando antiquarks. Assim, conforme o universo se expande e esfria, os antiquarks se aniquilam com os quarks. Contudo, uma vez que há mais quarks do que antiquarks, um pequeno excedente de quarks permanece. São eles que compõem a matéria que vemos hoje e da qual somos constituídos. Desse modo, nossa mera existência pode ser encarada como uma confirmação das GUTs, embora apenas no âmbito qualitativo. As incertezas são tantas que não se pode prever a quantidade de quarks que restará após a aniquilação, ou mesmo se haverá quarks ou antiquarks. (Se houvesse um excesso de antiquarks, simplesmente chamaríamos os antiquarks de quarks e os quarks de antiquarks.)

As teorias da grande unificação não incluem a força da gravidade, o que não faz muita diferença, pois a gravidade é uma força tão fraca que, em geral, seus efeitos podem ser negligenciados quando lidamos com partículas elementares ou átomos. Contudo, o fato de ela ser de longo alcance e permanentemente atrativa significa que seus efeitos conjuntos se somam. Assim, para um número grande o bastante de partículas de matéria, as forças gravitacionais podem dominar todas as outras forças. É por isso que a gravidade determina a evolução de nosso universo. Mesmo para objetos do tamanho de estrelas, a força de atração da gravidade pode sobrepujar todas as demais e levar uma estrela a entrar em colapso. Minha obra na década de 1970 examinou os buracos negros que podem resultar de um colapso estelar desse tipo e os intensos campos gravitacionais que os cercam. Foi isso que levou aos primeiros indícios de como as teorias da mecânica quântica e da relatividade geral podem afetar uma à outra — um vislumbre do modelo de uma teoria da gravitação quântica ainda por vir.

6

Buracos negros

O TERMO *BURACO NEGRO* É DE ORIGEM MUITO RECENTE. ELE FOI cunhado em 1969 pelo cientista americano John Wheeler como uma descrição expressiva de uma ideia que remonta a pelo menos duzentos anos atrás, época em que havia duas teorias sobre a luz: uma, preferida por Newton, era a de que a luz era composta por partículas; a outra, a de que era feita de ondas. Sabemos hoje que, na verdade, ambas as teorias estão corretas. Pela dualidade onda/partícula da mecânica quântica, a luz pode ser encarada como onda e como partícula. Pela teoria de que a luz é feita de ondas, não ficava claro como ela reagiria à gravidade. Contudo, se a luz é composta de partículas, é de se esperar que a gravidade a afete do mesmo modo como afeta balas de canhão, foguetes, planetas etc. No início, as pessoas achavam que as partículas de luz eram infinitamente rápidas, de modo que a gravidade não seria capaz de deixá-las mais lentas, mas a descoberta de Rømer de que a luz viaja a uma velocidade finita significava que a gravidade podia ter um efeito importante.

Partindo desse pressuposto, um professor de Cambridge, John Michell, publicou em 1783 um artigo no *Philosophical Transactions of the Royal Society of London* no qual observava que uma estrela massiva e compacta o bastante teria um campo gravitacional tão forte que a luz não poderia escapar: qualquer luz emitida da superfície da estrela seria sugada de volta pela atração gravitacional do astro antes que pudesse ir muito longe. Michell sugeriu que talvez houvesse uma grande quantidade de estrelas desse tipo. Embora não fôssemos capazes de vê-las porque a luz delas não chegaria até nós, ainda assim sentiríamos sua gravidade. Tais objetos são o que chamamos hoje de buracos negros, pois é o que eles são: vazios negros no espaço. Alguns anos mais tarde, o cientista francês marquês de Laplace fez uma sugestão semelhante, ao que tudo indica de forma independente de Michell. Curiosamente, Laplace a incluiu apenas nas duas primeiras edições de seu livro *Exposição do sistema do mundo* e a deixou de fora das edições posteriores — talvez tivesse chegado à conclusão de que era uma ideia maluca. (Além disso, a teoria da luz como partícula caiu em desuso durante o século XIX; parecia que tudo podia ser explicado pela teoria das ondas, e, segundo ela, não estava claro que a gravidade tivesse qualquer efeito sobre a luz.)

Na verdade, não é coerente tratar a luz como balas de canhão na teoria da gravitação de Newton porque a velocidade da luz é fixa. (Uma bala de canhão disparada para o alto será desacelerada pela gravidade, acabará parando e cairá de volta. Um fóton, porém, continua subindo a uma velocidade constante. Então de que maneira a gravitação newtoniana pode afetar a luz?) Uma teoria coerente surgiu apenas quando Einstein propôs a relatividade geral, em 1915. E, mesmo então, demorou muito até que fossem compreendidas as implicações da teoria para estrelas massivas.

Para entender como um buraco negro pode se formar, primeiro precisamos compreender o ciclo de vida de uma estrela. Uma estrela é formada quando uma grande quantidade de gás (na maior parte hidrogênio) começa a desabar sobre si mesma devido a sua atração gravitacional. À medida que ela se contrai, os átomos do gás se chocam com frequência e velocidade cada vez maiores, e o gás se aquece. No fim, o gás está tão quente que, quando os átomos de hidrogênio colidem, eles deixam de se repelir e se fundem para formar o hélio. O calor liberado nessa reação, que é como a explosão controlada de uma bomba de hidrogênio, faz a estrela brilhar. Esse calor adicional também aumenta a pressão do gás até que ela seja suficiente para equilibrar a atração gravitacional, e o gás para de se contrair. É um pouco como um balão — há um equilíbrio entre a pressão do ar dentro, que tenta fazer o balão se expandir, e a tensão na borracha, que tenta fazer o balão diminuir. As estrelas permanecerão estáveis desse modo por um longo tempo, com o calor das reações nucleares equilibrando a atração gravitacional. Em algum momento, porém, a estrela ficará sem seu hidrogênio e outros combustíveis nucleares. Paradoxalmente, quanto mais combustível a estrela tem no começo do processo, mais rápido ela se exaure. Isso ocorre porque, quanto maior a massa da estrela, mais quente ela precisa ficar para equilibrar sua atração gravitacional. E, quanto mais quente ficar, mais rápido gastará seu combustível. Nosso Sol provavelmente tem combustível bastante para mais cerca de cinco bilhões de anos, mas estrelas mais massivas podem gastar seu combustível em meros cem milhões de anos, um tempo ínfimo ante a idade do universo. Quando uma estrela fica sem combustível, ela começa a esfriar e se contrai. Foi só no fim da década de 1920 que se compreendeu o que poderia acontecer com ela em seguida.

Em 1928, um aluno de pós-graduação indiano, Subrahmanyan Chandrasekhar, zarpou para a Inglaterra a fim de estudar em Cambridge com o astrônomo britânico Sir Arthur Eddington, um especialista em relatividade geral. (Segundo alguns relatos, um jornalista afirmou a Eddington no início da década de 1920 que ouvira dizer que havia apenas três pessoas no mundo capazes de compreender a relatividade geral. Eddington fez uma pausa, então replicou: "Estou tentando descobrir quem seria a terceira.") Durante a viagem, ao deixar a Índia, Chandrasekhar imaginou quão grande uma estrela poderia ser para ainda conseguir se sustentar contra a própria gravidade após ter exaurido seu combustível. A ideia era esta: quando a estrela diminui, as partículas de matéria se aproximam muito umas das outras; logo, segundo o princípio de exclusão de Pauli, elas devem ter velocidades muito diferentes. Isso faz com que se afastem umas das outras, e, desse modo, a tendência é levar a estrela a se expandir. Portanto, uma estrela pode manter um diâmetro constante por meio de um equilíbrio entre a atração da gravidade e a repulsão resultante do princípio de exclusão, assim como antes a gravidade era contrabalançada pelo calor.

No entanto, Chandrasekhar se deu conta de que há um limite para a repulsão que pode ser fornecido pelo princípio de exclusão. A teoria da relatividade limita à velocidade da luz a diferença máxima nas velocidades das partículas de matéria na estrela. Isso significa que, quando a estrela se torna densa o bastante, a repulsão causada pelo princípio de exclusão é menor do que a atração da gravidade. Chandrasekhar calculou que uma estrela fria com 50% mais massa do que o Sol não seria capaz de se sustentar contra a própria gravidade. (Essa massa hoje é conhecida como limite de Chandrasekhar.) O cientista russo Lev Davidovich Landau fez uma descoberta semelhante por volta da mesma época.

Isso teve implicações sérias para o destino final de estrelas massivas. Se a massa de uma estrela é inferior ao limite de Chandrasekhar, ela pode parar de se contrair e se estabilizar em um possível estado final como uma "anã branca", com um raio de alguns milhares de quilômetros e densidade de várias toneladas por centímetro cúbico. Uma anã branca se sustenta pela repulsão do princípio de exclusão entre os elétrons em sua matéria. Observamos um grande número de estrelas desse tipo. Uma das primeiras a serem descobertas orbita em torno de Sirius, a estrela mais brilhante do céu noturno.

Landau observou que havia outro estado final possível para uma estrela, também com massa limitada de cerca de uma ou duas vezes a massa do Sol, mas muito menor até do que uma anã branca. Essas estrelas se sustentariam pela repulsão resultante do princípio de exclusão entre nêutrons e prótons, e não entre os elétrons. Assim, foram chamadas de estrelas de nêutrons. Elas teriam um raio de apenas uns quinze quilômetros e densidade de centenas de milhões de toneladas por centímetro cúbico. Na época em que foram previstas pela primeira vez, não havia como observar estrelas de nêutrons. Elas só foram detectadas muito mais tarde.

Em contrapartida, estrelas com massa acima do limite de Chandrasekhar enfrentam um grande problema quando seu combustível chega ao fim. Em alguns casos, elas podem explodir ou ejetar de algum modo matéria suficiente para reduzir sua massa abaixo do limite e assim evitar o catastrófico colapso gravitacional; mas é difícil acreditar que isso possa ocorrer sempre, por maior que seja a estrela. Como ela pode saber que precisa perder peso? E, mesmo que toda estrela perca massa suficiente para evitar o colapso, o que aconteceria se acrescentássemos mais massa a uma anã branca ou a uma estrela de nêutrons para levá-la além do limite? Ela entraria em colapso a uma densidade infinita? Eddington ficou chocado com essa conclusão e recusou-se a acreditar no resultado de Chandrasekhar. O britânico pensou que era simplesmente impossível que uma estrela pudesse sofrer um colapso parcial. Essa era a visão da maioria dos cientistas: o próprio Einstein escreveu um artigo no qual alegava que as estrelas não encolhiam ao tamanho zero. A hostilidade de outros cientistas, em particular Eddington, seu antigo professor e principal autoridade no tema de estrutura das estrelas, persuadiu Chandrasekhar a abandonar essa linha de trabalho e se voltar para outros problemas de astronomia, como o movimento de aglomerados estelares. No entanto, o Prêmio Nobel que ele recebeu em 1983 foi, ao menos em parte, por seu trabalho inicial na massa limite de estrelas frias.

O astrônomo indiano mostrara que o princípio de exclusão não podia deter o colapso de uma estrela com massa acima do limite de Chandrasekhar, mas o problema de compreender o que pode acontecer com uma estrela desse tipo, segundo a relatividade geral, foi solucionado pela primeira vez por um jovem americano, Robert Oppenheimer, em 1939. Seu resultado, entretanto, sugeria que os telescópios da época não eram capazes de detectar consequências observáveis. Mas então veio a Segunda Guerra Mundial, e o próprio Oppenheimer deixou isso de lado para trabalhar no projeto da bomba atômica. Após a guerra, o problema do colapso gravitacional foi esquecido, pois a maioria dos cientistas estava envolvida com a questão de o que acontece na escala do átomo e seu núcleo. Na década de 1960, porém, o interesse nos problemas de grande escala em astronomia e cosmologia ressurgiu, graças ao grande avanço na quantidade e no alcance das observações astronômicas possibilitado pela aplicação da tecnologia moderna. O trabalho de Oppenheimer foi então redescoberto e ampliado por várias pessoas.

O quadro que hoje temos do trabalho de Oppenheimer é o seguinte: o campo gravitacional da estrela altera as trajetórias dos raios de luz no espaço-tempo em relação ao que teriam sido caso a estrela não estivesse presente. Os cones de luz, que indicam as trajetórias seguidas no espaço e no tempo a partir do ponto de origem dos clarões luminosos, são curvados de leve para dentro próximo à superfície da estrela. Isso pode ser visto durante um eclipse solar na curvatura da luz originária de estrelas distantes. À medida que a estrela se contrai, o campo gravitacional em sua superfície fica cada vez mais forte e os cones de luz se curvam ainda mais para dentro. Isso aumenta a dificuldade de a luz da estrela escapar, e a luz parece mais fraca e avermelhada para um observador distante. Então, quando a estrela encolhe até determinado diâmetro crítico — o ponto sem retorno —, o campo gravitacional na superfície se torna tão forte e os cones de luz se curvam de tal forma que a luz não consegue mais escapar [Figura 6.1]. Segundo a teoria da relativi-

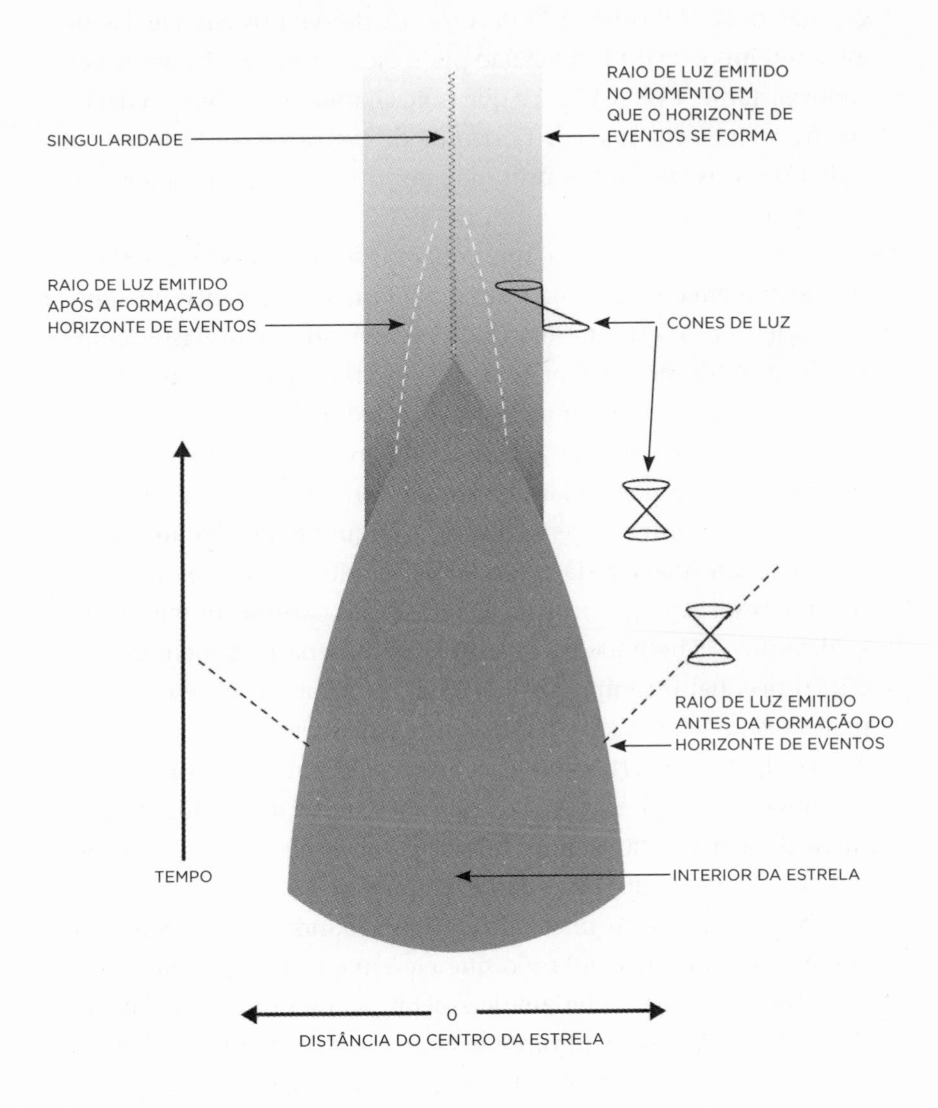
RAIO DE LUZ EMITIDO
NO MOMENTO EM
QUE O HORIZONTE DE
EVENTOS SE FORMA
SINGULARIDADE
RAIO DE LUZ EMITIDO
APÓS A FORMAÇÃO DO
HORIZONTE DE EVENTOS
CONES DE LUZ
RAIO DE LUZ EMITIDO
ANTES DA FORMAÇÃO DO
HORIZONTE DE EVENTOS
TEMPO
INTERIOR DA ESTRELA
0
DISTÂNCIA DO CENTRO DA ESTRELA

FIGURA 6.1

dade, nada pode viajar mais rápido do que a luz. Assim, se a luz não pode sair, nada mais pode; tudo é arrastado de volta pelo campo gravitacional. O resultado é um conjunto de eventos, uma região do espaço-tempo, de onde a luz não pode escapar e chegar a um observador distante. Essa região é o que hoje chamamos de buraco negro. Sua fronteira é chamada de horizonte de eventos e coincide com as trajetórias dos raios luminosos que, por uma margem mínima, não conseguem escapar.

A fim de compreender o que veríamos se observássemos uma estrela entrar em colapso para formar um buraco negro, não podemos nos esquecer de que, na teoria da relatividade, não existe tempo absoluto. Cada observador tem sua própria medida de tempo. O tempo para alguém em uma estrela será diferente do tempo para alguém a determinada distância, devido ao campo gravitacional da estrela. Suponhamos que um astronauta intrépido esteja na superfície da estrela entrando em colapso e, enquanto desaba junto com ela, envie um sinal a cada segundo, de acordo com seu relógio, para sua nave espacial, que orbita a estrela. A certa altura em seu relógio — digamos, 11h00m00s —, a estrela encolheria para além do raio crítico no qual o campo gravitacional se torna tão forte que nada pode escapar, e os sinais do astronauta não chegariam mais à nave. À medida que as 11h00m00s se aproximassem, seus companheiros, observando da espaçonave, perceberiam os intervalos entre os sinais do astronauta ficando cada vez mais longos, mas esse efeito seria muito pequeno antes das 10h59m59s. Eles precisariam esperar apenas um pouco mais do que um segundo entre o sinal das 10h59m58s do astronauta e o que ele enviou quando seu relógio dizia 10h59m59s, mas teriam de esperar para sempre pelo sinal das 11h00m00s. As ondas luminosas emitidas da superfície da estrela entre 10h59m59s e 11h00m00s pelo relógio do astronauta se espalhariam por um período de tempo infinito, de acordo com o que se vê da espaçonave. O intervalo entre a chegada das ondas sucessivas à nave espacial ficaria cada vez mais longo, de modo que a luz da estrela se mostraria cada vez mais vermelha e fraca. Em algum momento, a estrela ficaria tão indistinta que não seria mais possível vê-la da espaçonave: restaria apenas um buraco negro no espaço. A estrela, porém, continuaria exercendo a mesma força gravitacional sobre a nave, que seguiria orbitando o buraco negro. No entanto, esse cenário não é totalmente realista, devido ao seguinte problema: a gravidade enfraquece à medida que nos afastamos da estrela, de modo que a força gravitacional nos pés de nosso intrépido astronauta seria sempre maior do que a força gravitacional em sua cabeça. Essa diferença esticaria nosso astronauta como um espaguete ou o dilaceraria antes que a estrela se contraísse até o diâmetro crítico do momento em que o horizonte de eventos se formou! No entanto, acreditamos que existem objetos muito maiores no universo, como as regiões centrais das galáxias, que também podem sofrer colapso gravitacional e produzir buracos negros. Um astronauta em um ponto desses não seria dilacerado antes que o buraco negro se formasse. Com efeito, ele não sentiria nada de especial quando atingisse o raio crítico e poderia passar pelo ponto sem retorno sem perceber. Entretanto, dentro de apenas algumas horas, à medida que a região continuasse entrando em colapso, a diferença nas forças gravitacionais na cabeça e nos pés dele se tornaria tão forte que mais uma vez o rasgaria.

O trabalho que Roger Penrose e eu realizamos entre 1965 e 1970 mostrou que, de acordo com a relatividade geral, deve haver uma singularidade de densidade e curvatura espaço-temporal infinita dentro de um buraco negro. É mais ou menos como o Big Bang no início do tempo, com a única diferença de que seria um fim do tempo para o objeto entrando em colapso e para o astronauta. Nessa singularidade, as leis da ciência e nossa capacidade de prever o futuro fracassariam. No entanto, qualquer observador que permanecesse fora do buraco negro não seria afetado por essa falta de previsibilidade, pois nem a luz nem qualquer outro sinal poderiam sair da singularidade e chegar a ele. Esse fato notável levou Roger

Penrose a propor a hipótese da censura cósmica, que pode ser parafraseada como "Deus abomina uma singularidade nua". Em outras palavras, as singularidades produzidas pelo colapso gravitacional ocorrem apenas em lugares, como os buracos negros, onde estão ocultas de olhares alheios por um horizonte de eventos. A rigor, é o que conhecemos como hipótese da censura cósmica fraca: ela protege os observadores que permanecem fora do buraco negro das consequências do colapso de previsibilidade que ocorre no interior da singularidade, mas não faz absolutamente nada pelo pobre e infeliz astronauta que despenca nela.

Algumas soluções das equações da relatividade geral permitem que nosso astronauta veja uma singularidade nua: ele talvez seja capaz de evitar a singularidade e, em vez disso, cair em um "buraco de minhoca", saindo em outra região do universo. Isso ofereceria grandes possibilidades de viagem no espaço e no tempo, mas infelizmente essas soluções talvez sejam muito instáveis: a menor perturbação, como a presença de um astronauta, poderia mudar esses objetos de tal maneira que o astronauta só veria a singularidade quando a atingisse e seu tempo chegasse ao fim. Em outras palavras, a singularidade residiria sempre em seu futuro, nunca em seu passado. A versão forte da hipótese da censura cósmica sustenta que, em uma solução realista, as singularidades sempre residiriam completamente no futuro (como as singularidades do colapso gravitacional) ou no passado (como o Big Bang). Acredito muito na censura cósmica, então apostei com Kip Thorne e John Preskill, da Caltech, que ela seria sempre válida. Perdi a aposta por um detalhe técnico, pois foram apresentados exemplos de soluções nas quais uma singularidade era visível a uma distância grande. Assim, tive de pagar, o que, pelos termos da aposta, significava que eu precisava cobrir a nudez delas. Mas posso dizer que tive uma vitória moral. As singularidades nuas eram instáveis: a menor perturbação as levaria a desaparecer ou se ocultar atrás de um horizonte de eventos. Portanto, elas não ocorreriam em situações realistas.

O horizonte de eventos, a fronteira da região do espaço-tempo de onde não é possível escapar, age mais como uma membrana de mão única em torno do buraco negro: os objetos, como astronautas incautos, podem atravessar o horizonte de eventos e cair dentro do buraco negro, mas nada jamais pode sair do buraco negro por ali. (Lembre que o horizonte de eventos é a trajetória que a luz segue no espaço-tempo para tentar escapar do buraco negro, e nada pode viajar mais rápido do que a luz.) Poderíamos dizer do horizonte de eventos o que o poeta Dante disse da porta do inferno: "Abandonai toda esperança vós que aqui entrais." Qualquer coisa ou qualquer um que cair pelo horizonte de eventos em breve atingirá a região de densidade infinita e o fim do tempo.

A relatividade geral prevê que objetos pesados em movimento causam a emissão de ondas gravitacionais, ondulações na curvatura do espaço que viajam à velocidade da luz. Elas são semelhantes a ondas de luz, que são ondas de campo eletromagnético, porém muito mais difíceis de detectar. Podem ser observadas pela mudança ínfima na separação que produzem entre objetos próximos se movendo livremente. Há detectores em construção nos Estados Unidos, na Europa e no Japão, e eles medirão deslocamentos de uma parte em um bilhão de milhões de milhões (1 seguido de 21 zeros), ou menos do que o tamanho do núcleo de um átomo por uma distância de cerca de quinze quilômetros.

Como a luz, as ondas gravitacionais carregam energia para longe dos objetos que as emitem. Desse modo, seria de se esperar que um sistema de objetos massivos acabasse se acomodando em um estado estacionário, pois toda a energia em movimento seria levada pela emissão de ondas gravitacionais. (É como deixar uma rolha cair na água: no início, ela oscila bastante para cima e para baixo, mas, à medida que as ondas levam sua energia embora, ela acaba em um estado estacionário.) Por exemplo, o movimento da Terra em torno do Sol produz ondas gravitacionais. O efeito da perda de energia será a mudança da órbita da Terra de modo que aos poucos ela se aproxime cada vez mais do Sol, terminando por colidir com a estrela e se acomodando em um estado estacionário. A taxa da perda de energia no caso da Terra e do Sol é muito baixa — mais ou menos o suficiente para fazer funcionar um aquecedor elétrico pequeno. Isso significa que levará cerca de um bilhão de milhões de milhões de milhões de anos para que a Terra se choque com o Sol, então não há motivo para preocupação imediata! A mudança na órbita da Terra é lenta demais para ser percebida, mas esse mesmo efeito tem sido observado ao longo dos últimos anos no sistema chamado PSR 1913 + 16 (PSR é a sigla de "pulsar", um tipo especial de estrela de nêutrons que emite pulsos regulares de ondas de rádio). Esse sistema contém duas estrelas de nêutrons em órbita recíproca, e a energia que elas estão perdendo com a emissão de ondas gravitacionais as leva a avançar em espiral uma em direção à outra. Essa confirmação da relatividade geral rendeu a J.H. Taylor e R.A. Hulse o Prêmio Nobel em 1993. Levará cerca de trezentos milhões de anos para elas colidirem. Pouco antes de isso acontecer, o movimento delas em suas órbitas será tão rápido que as ondas gravitacionais poderão ser captadas por detectores como o Ligo (Laser Interferometer Gravitational-Wave Observatory).

Durante o colapso gravitacional no processo de formação de um buraco negro, os movimentos seriam muito mais rápidos, de modo que a taxa de perda da energia seria bem maior. Logo, não demoraria muito até atingir um estado estacionário. Como seria esse estado estacionário? É de se supor que ele dependeria de todas as características complexas da estrela da qual se originou — não apenas a massa e a velocidade de rotação, mas também as diferentes densidades de suas várias partes e os complicados movimentos dos gases em seu interior. E, se buracos negros fossem tão diversificados quanto os objetos que entram em colapso para formá-los, talvez fosse muito difícil fazer quaisquer previsões sobre eles.

Porém, em 1967, Werner Israel, um cientista canadense (que nasceu em Berlim, foi criado na África do Sul e obteve seu doutorado na Irlanda), revolucionou o estudo dos buracos negros. Israel mostrou que, segundo a relatividade geral, buracos negros não rotativos devem ser bem simples; eles são perfeitamente esféricos, seu tamanho depende apenas de sua massa, e dois buracos negros desses com a mesma massa são idênticos. Na verdade, eles podem ser descritos por uma solução das equações de Einstein conhecida desde 1917, encontrada por Karl Schwarzschild pouco após a descoberta da relatividade geral. No início, muitas pessoas, incluindo o próprio Israel, argumentavam que, uma vez que buracos negros tinham de ser perfeitamente esféricos, eles só podiam se formar pelo colapso de objetos perfeitamente esféricos. Qualquer estrela real — que nunca seria perfeitamente esférica — só poderia, desse modo, entrar em colapso para formar uma singularidade nua.

No entanto, houve uma interpretação diferente do resultado de Israel, defendida em especial por Roger Penrose e John Wheeler. Eles argumentaram que os movimentos rápidos de um colapso estelar significariam que as ondas gravitacionais que a estrela emitia a tornariam mais esférica, e, no momento em que se acomodasse em um estado estacionário, ela seria precisamente esférica. Segundo essa tese, qualquer estrela não rotativa, por mais complicadas que fossem sua forma e sua estrutura interna, terminaria, após o colapso gravitacional, como um buraco negro perfeitamente esférico, cujo tamanho dependeria apenas de sua massa. Cálculos posteriores embasaram essa ideia, e, em pouco tempo, ela foi amplamente adotada.

O resultado de Israel lidava apenas com o caso dos buracos negros formados de corpos não rotativos. Em 1963, o neozelandês Roy Kerr encontrou uma série de soluções para as equações da relatividade geral que descreviam buracos negros rotativos. Esses buracos negros de Kerr giram a uma velocidade constante, e seu tamanho e sua forma dependem apenas da massa e da velocidade de rotação. Se a rotação é zero, o buraco negro é perfeitamente redondo e a solução é idêntica à solução de Schwarzschild. Se a rotação é diferente de zero, o buraco negro é mais largo próximo ao equador (assim como a Terra ou o Sol devido à sua rotação) e, quanto mais rápido ele gira, mais largo fica. Assim, para estender o resultado de Israel de modo a incluir corpos em rotação, conjecturou-se que qualquer corpo rotativo que entrasse em colapso para formar um buraco negro acabaria se acomodando em um estado estacionário descrito pela solução de Kerr.

Em 1970, um pesquisador colega meu em Cambridge, Brandon Carter, deu o primeiro passo para provar essa conjectura. Ele demonstrou que, contanto que um buraco negro rotativo estacionário tenha um eixo de simetria, como um pião, seu tamanho e sua forma dependem apenas de sua massa e sua velocidade de rotação. Então, em 1971, provei que qualquer buraco negro rotativo estacionário tem de fato esse eixo de simetria. Finalmente, em 1973, David Robinson, do King's College de Londres, usou os resultados de Carter e os meus para mostrar que a conjectura estava correta: de fato, um buraco negro como esse tinha de ser a solução Kerr. Assim, após um colapso gravitacional, um buraco negro deve se acomodar em um estado em que pode girar, mas não pulsar. Além do mais, seu tamanho e sua forma dependem apenas de sua massa e velocidade de rotação, e não da natureza do corpo que o formou. Esse resultado veio a ser conhecido pela máxima "Buracos negros não têm cabelo". O teorema da "calvície" é de enorme importância prática, pois impõe uma restrição imensa aos tipos possíveis de buracos negros. Desse modo, podemos compor modelos detalhados de objetos que talvez contenham buracos negros e comparar as previsões dos modelos com observações. Significa também que uma quantidade muito grande de informação sobre o corpo que entrou em colapso deve se perder quando um buraco negro se forma, pois, depois disso, tudo que conseguimos medir acerca do corpo é a massa e a velocidade de rotação. Veremos a relevância disso no próximo capítulo.

Os buracos negros são apenas um caso, de uma quantidade razoavelmente pequena na história da ciência, em que uma teoria foi desenvolvida em grande detalhe como modelo matemático antes de haver quaisquer evidências observacionais que a comprovassem. Na verdade, esse era o principal argumento dos detratores dos buracos negros: como alguém poderia acreditar em objetos para os quais a única evidência eram cálculos baseados na duvidosa teoria da relatividade geral? No entanto, em 1963, o astrônomo Maarten Schmidt, do Observatório Palomar, na Califórnia, mediu o desvio para o vermelho de um objeto fraco aparentemente estelar na direção da fonte de ondas de rádio chamada 3C273 (ou seja, fonte número 273 do terceiro catálogo de Cambridge das fontes de rádio). Ele descobriu que o desvio era grande demais para ser causado por um campo gravitacional: se fosse um desvio gravitacional, o objeto teria de ser tão massivo e estar tão próximo de nós que perturbaria as órbitas dos planetas no Sistema Solar. Isso sugeria que, na verdade, o desvio para o vermelho havia sido causado pela expansão do universo, o que, por sua vez, significava que o objeto estava a uma distância muito grande. E, para ser visível de tão longe, o objeto devia ser muito brilhante; em outras palavras, devia estar emitindo uma quantidade imensa de energia. O único mecanismo no qual as pessoas conseguiram pensar que seria capaz de produzir quantidades tão grandes de energia parecia ser o colapso gravitacional não só de uma estrela, mas de toda a região central de uma galáxia. Foram descobertos inúmeros outros "objetos quase estelares" semelhantes, ou quasares, todos com grandes desvios para o vermelho. Mas todos estão longe demais e, assim, são difíceis de observar a fim de fornecer evidências conclusivas dos buracos negros.

Em 1967, surgiu um novo estímulo para confirmar a existência dos buracos negros: uma pesquisadora em Cambridge, Jocelyn Bell-Burnell, descobriu objetos no céu que emitiam pulsos regulares de ondas de rádio. No início, Bell e seu supervisor, Antony Hewish, acharam que talvez tivessem entrado em contato com uma civilização alienígena na galáxia! De fato, no seminário em que anunciaram sua descoberta, lembro-me de que chamaram as quatro primeiras fontes descobertas de LGM 1-4, sendo que LGM era uma sigla para "Little Green Men" [Homenzinhos Verdes]. No fim, contudo, eles e todos os demais chegaram à conclusão menos romântica de que esses objetos, que receberam o nome de pulsares, eram na realidade estrelas de nêutrons girando e emitindo pulsos de ondas de rádio devido a uma complicada interação entre seus campos magnéticos e a matéria circundante. A notícia não foi boa para os escritores de ficção científica, porém muito auspiciosa para os poucos de nós que acreditavam em buracos negros na época: foi a primeira evidência positiva de que estrelas de nêutrons existiam. Uma estrela de nêutrons possui um raio de cerca de quinze quilômetros, poucas vezes maior do que o raio crítico no qual uma estrela se torna um buraco negro. Se uma estrela podia entrar em colapso sendo tão pequena, era razoável supor que outras estrelas pudessem diminuir ainda mais e se tornar buracos negros.

Que esperança podemos ter de detectar um buraco negro quando, pela própria definição, ele não emite luz alguma? Talvez seja um pouco como procurar um gato preto em um depósito de carvão. Felizmente, há um jeito. Como observou John Michell em seu artigo pioneiro de 1783, um buraco negro continua a exercer força gravitacional em objetos próximos. Os astrônomos observaram muitos sistemas em que duas estrelas estão em órbita recíproca, atraídas mutuamente pela gravidade. Também observaram sistemas em que há uma única estrela visível orbitando uma companheira invisível. Não se pode, é claro, concluir de imediato que a companheira seja um buraco negro: talvez se trate apenas de uma estrela de brilho fraco demais. Entretanto, alguns desses sistemas, como o que chamamos de Cygnus X-1 [Figura 6.2], são também fontes poderosas de raios X. A melhor explicação para esse fenômeno é que a matéria foi expelida da superfície da estrela visível. À medida que essa matéria cai na direção da companheira invisível, desenvolve um movimento espiralado (mais ou menos como a água no ralo do chuveiro), fica muito quente e emite raios X [Figura 6.3]. Para que esse mecanismo

FIGURA 6.2. A MAIS BRILHANTE DAS DUAS ESTRELAS PERTO DO CENTRO DA FOTOGRAFIA É CYGNUS X-1, QUE SE ACREDITA CONSISTIR DE UM BURACO NEGRO E UMA ESTRELA NORMAL EM ÓRBITA RECÍPROCA.

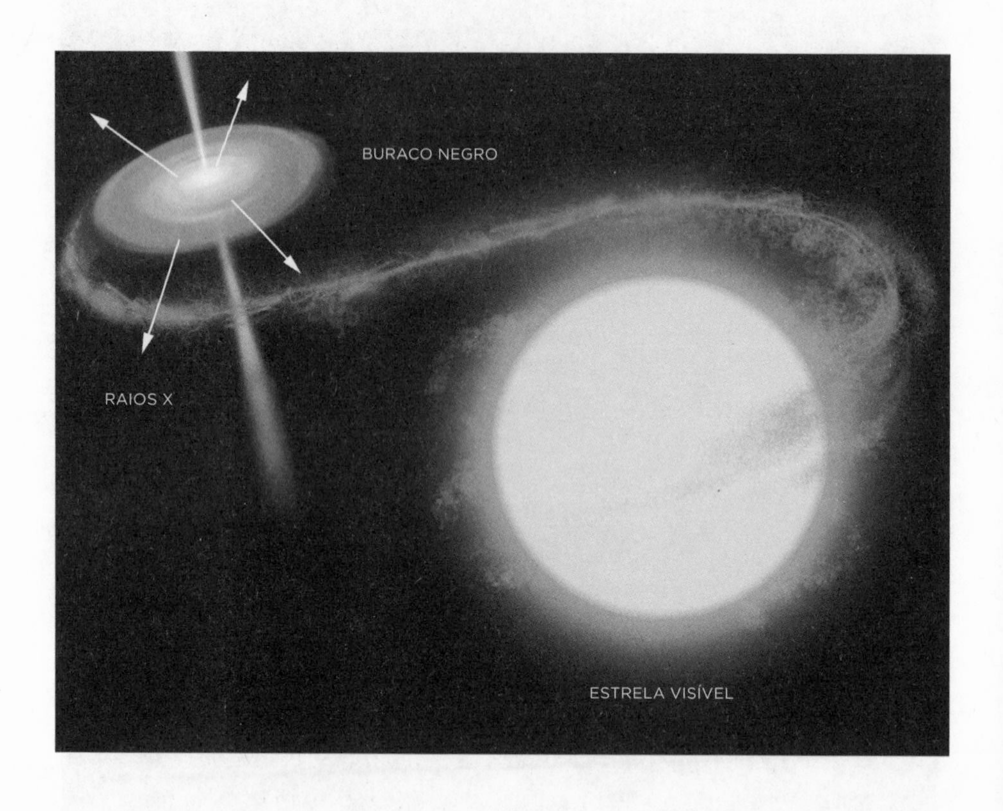

FIGURA 6.3

funcione, o objeto invisível tem de ser muito pequeno, como uma anã branca, uma estrela de nêutrons ou um buraco negro. Da órbita observada da estrela visível, podemos determinar a menor massa possível do objeto invisível. No caso de Cygnus X-1, é cerca de seis vezes a massa do Sol — o que, de acordo com o resultado de Chandrasekhar, é grande demais para que o objeto invisível seja uma anã branca. A massa também é grande demais para ser uma estrela de nêutrons. Logo, parece se tratar de um buraco negro.

Há outros modelos para explicar Cygnus X-1 que não incluem um buraco negro, mas eles são um pouco forçados. Um buraco negro parece ser a única explicação de fato natural para as observações. Apesar disso, apostei com Kip Thorne que, na verdade, Cygnus X-1 não contém um buraco negro! Foi uma espécie de apólice de seguro para mim. Já estudei muito os buracos negros, e todo o meu trabalho iria por água abaixo se descobríssemos que eles não existem. Contudo, nesse caso, eu teria o consolo de ganhar a aposta, que para mim representaria uma assinatura de quatro anos da revista *Private Eye*. Na verdade, embora a situação com Cygnus X-1 não tenha mudado muito desde a época da aposta, em 1975, existem hoje tantas outras evidências observacionais em favor dos buracos negros que admiti a derrota. Paguei a Kip o combinado, que, no caso dele, era uma assinatura de um ano da *Penthouse*, para desagrado de sua tolerante esposa.

Hoje também temos evidências de diversos outros buracos negros em sistemas como o Cygnus X-1 em nossa galáxia e em duas galáxias vizinhas chamadas Nuvens de Magalhães. Contudo, é quase certo que o número de buracos negros seja muito maior. Na longa história do universo, muitas estrelas devem ter queimado todo o seu combustível nuclear e entrado em colapso. A quantidade de buracos negros pode até ser bem maior do que a de estrelas visíveis, que totaliza cerca de cem bilhões só em nossa galáxia. A gravidade adicional de um número tão grande de buracos negros poderia explicar a velocidade com que a nossa galáxia gira — a massa das estrelas visíveis não é suficiente para explicá-la. Também temos indícios da existência de um buraco negro muito maior, com massa de cerca de cem mil vezes a do Sol, no centro de nossa galáxia. As estrelas que se aproximam demais desse buraco negro são dilaceradas pela diferença das forças gravitacionais entre seu lado mais próximo e o mais distante. Seus fragmentos, e o gás expelido de outras estrelas, caem na direção do buraco negro. O gás desce em espiral e se aquece, mas não tanto quanto no caso de Cygnus X-1. Ele não fica quente o bastante para emitir raios X, mas talvez explique a fonte muito compacta de ondas de rádio e raios infravermelhos observada no centro da galáxia.

Acredita-se que no centro dos quasares haja buracos negros semelhantes, porém ainda maiores, com massas de cerca de cem milhões de vezes a do Sol. Por exemplo, observações da galáxia conhecida como M87 feitas com o telescópio Hubble revelam que ela contém um disco de gás de 130 anos-luz de diâmetro girando em torno de um objeto central com dois bilhões de vezes a massa do Sol. Só pode ser um buraco negro. A matéria caindo dentro de um buraco negro supermassivo constituiria a única fonte de força grande o bastante para explicar as quantidades enormes de energia emitidas por esses objetos. À medida que a matéria cai para o buraco negro, ele gira na mesma direção, desenvolvendo um campo magnético mais ou menos como acontece com a Terra. Partículas de altíssima energia são geradas próximo ao buraco negro pela matéria que cai ali dentro. O campo magnético é tão forte que concentra essas partículas em jatos expelidos ao longo do eixo de rotação do buraco negro, ou seja, na direção de seus polos norte e sul. Esses jatos já foram observados em diversas galáxias e quasares. Podemos considerar também a possibilidade de haver buracos negros com massa muito menor do que a do Sol. Esses não poderiam se formar por colapso gravitacional, pois suas massas estão abaixo do limite de Chandrasekhar: estrelas assim são capazes de se sustentar contra a força da gravidade mesmo após exaurir seu combustível nuclear.

Buracos negros de baixa massa poderiam se formar apenas se a matéria fosse comprimida a densidades enormes por pressões externas colossais. Tais condições poderiam ocorrer em uma bomba de hidrogênio muito grande: certa vez, o físico John Wheeler calculou que, se pegássemos toda a água pesada* de todos os oceanos do mundo, poderíamos construir uma bomba de hidrogênio capaz de comprimir a matéria no centro de tal forma que se criaria um buraco negro. (Claro, não restaria ninguém para observar o resultado!) Uma possibilidade mais prática é que buracos negros de baixa massa como esses podem ter sido formados nas temperaturas e pressões elevadas do universo muito primitivo. No entanto, buracos negros se formariam apenas se o universo primordial não fosse perfeitamente liso e uniforme, pois apenas uma pequena região mais densa do que a média poderia ser comprimida a ponto de formar um buraco negro. Mas sabemos que deve ter havido algumas irregularidades, pois, caso contrário, a matéria no universo continuaria distribuída de maneira perfeitamente uniforme hoje, em vez de estar aglomerada em estrelas e galáxias.

É claro que precisaríamos conhecer detalhes das condições no princípio do universo para confirmar se as irregularidades exigidas para explicar as estrelas e galáxias teriam levado à formação de um número significativo de buracos negros "primordiais". Assim, se pudéssemos determinar quantos buracos negros primordiais existem hoje, aprenderíamos muito sobre os estágios mais primitivos do universo. Poderíamos detectar buracos negros primordiais com massa superior a bilhões de toneladas (a massa de uma montanha grande) apenas mediante sua influência gravitacional em alguma outra matéria visível ou na expansão do universo. No entanto, como ve-

* Água pesada é uma variedade da molécula de água em que o hidrogênio (H) do H_2O é substituído pelo deutério — um átomo de hidrogênio cujo núcleo contém um próton e um nêutron, em vez de um único próton no hidrogênio comum. A água pesada é a base da bomba de hidrogênio. (N. do R.T.)

remos no próximo capítulo, buracos negros não são de fato negros afinal: eles brilham como um corpo quente, e, quanto menor for seu tamanho, maior será seu brilho. Assim, paradoxalmente, pode ser mais fácil detectar os buracos negros menores do que os grandes!

7

BURACOS NEGROS NÃO SÃO TÃO NEGROS

ATÉ 1970, MINHA PESQUISA SOBRE A RELATIVIDADE GERAL SE concentrava sobretudo na questão de ter havido ou não uma singularidade de Big Bang. Entretanto, certa noite em novembro daquele ano, pouco após o nascimento de minha filha, Lucy, comecei a pensar sobre buracos negros quando ia dormir. Minha deficiência torna esse um processo um tanto longo, então eu tinha tempo de sobra. Nessa época, não havia uma definição precisa sobre quais pontos no espaço-tempo residem dentro de um buraco negro e quais ficam de fora. Eu já havia discutido com Roger Penrose a ideia de definir um buraco negro como uma série de eventos dos quais não era possível escapar a uma grande distância, o que é a definição mais aceita hoje em dia. Isso significa que a fronteira do buraco negro, o horizonte de eventos, é formada pelos raios luminosos que por pouco não escaparam do buraco negro, pairando eternamente bem na margem [Figura 7.1]. É mais ou menos como tentar fugir da

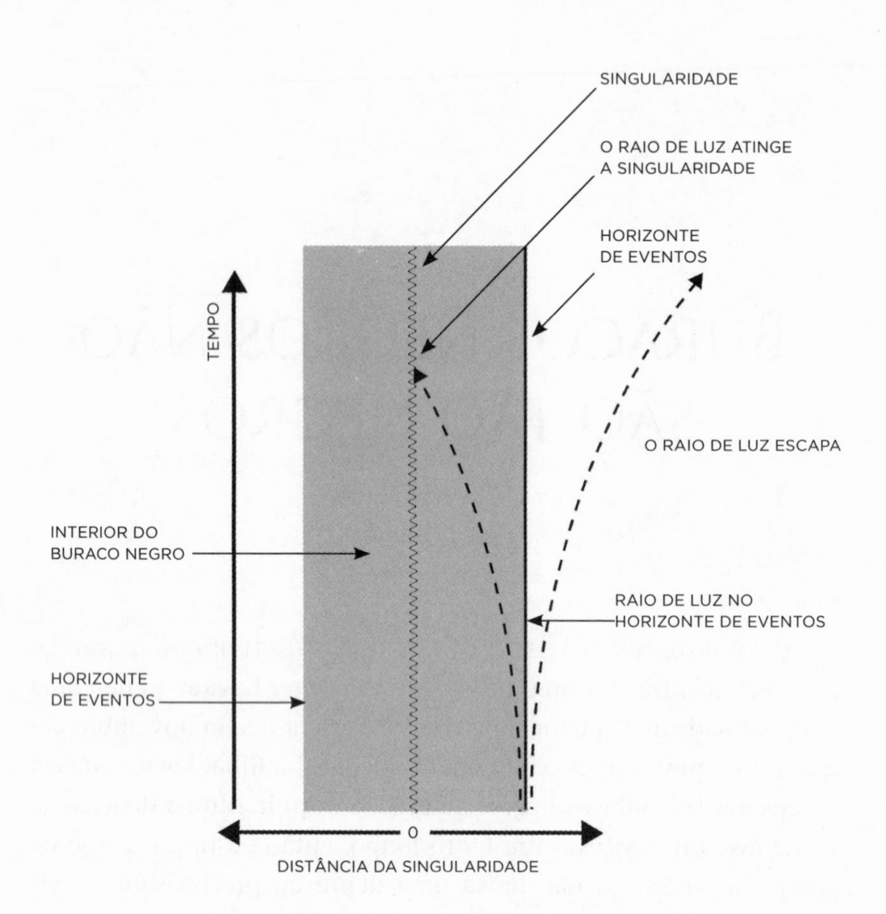
SINGULARIDADE
O RAIO DE LUZ ATINGE
A SINGULARIDADE
HORIZONTE
DE EVENTOS
TEMPO
O RAIO DE LUZ ESCAPA
INTERIOR DO
BURACO NEGRO
RAIO DE LUZ NO
HORIZONTE DE EVENTOS
HORIZONTE
DE EVENTOS
0
DISTÂNCIA DA SINGULARIDADE

FIGURA 7.1

polícia e conseguir por muito pouco manter uma distância mínima, mas sem nunca escapar de vez!

De repente me dei conta de que as trajetórias desses raios de luz jamais poderiam se aproximar umas das outras. Se o fizessem, acabariam se cruzando. Seria como esbarrar em outra pessoa fugindo da polícia na direção oposta — ambas seriam presas! (Ou, nesse caso, cairiam no buraco negro.) Contudo, se esses raios luminosos fossem engolidos pelo buraco negro, não poderiam ter estado na fronteira. Assim, as trajetórias dos raios luminosos no horizonte de eventos só podiam ser paralelas ou divergentes entre si. Outro modo de pensar a questão é imaginar o horizonte de eventos, a fronteira do buraco negro, como a margem de uma sombra — a sombra da destruição iminente. Se a pessoa olhar para a sombra lançada por uma fonte muito distante, como o Sol, verá que os raios de luz na margem não estão se aproximando.

Se os raios luminosos que formam o horizonte de eventos, a fronteira do buraco negro, nunca podem se aproximar, a área do horizonte de eventos pode permanecer a mesma ou aumentar com o tempo, mas jamais diminuir, pois isso significaria que pelo menos parte dos raios de luz na fronteira precisariam estar se aproximando uns dos outros. Na verdade, a área aumentaria sempre que matéria ou radiação caísse no buraco negro [Figura 7.2]. Ou, se dois buracos negros colidissem e se fundissem para formar um único buraco negro, a área do horizonte de eventos do buraco negro final seria maior ou igual à soma das áreas dos horizontes de eventos dos buracos negros originais [Figura 7.3]. Essa propriedade não decrescente da área do horizonte de eventos proporcionou uma importante restrição sobre o comportamento possível dos buracos negros. Fiquei tão empolgado com minha descoberta que não dormi quase nada naquela noite. No dia seguinte, liguei para Roger Penrose. Ele concordou comigo. Na verdade, acho que ele já tinha noção dessa propriedade da área. Entretanto, utilizava uma definição de buraco negro ligeiramente distinta. Ele não tinha percebi-

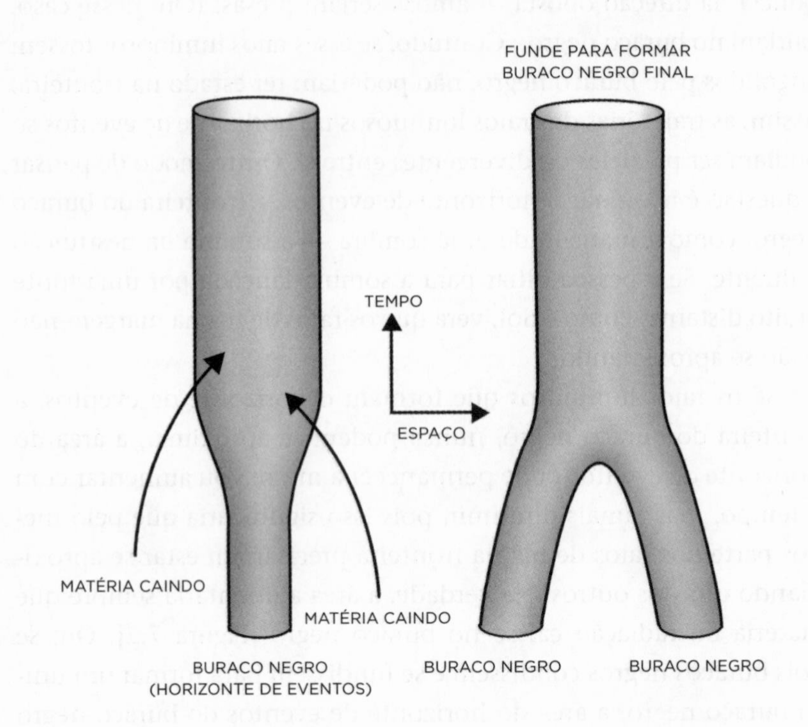

FIGURAS 7.2 E 7.3

do que, de acordo com as duas definições, as fronteiras do buraco negro seriam iguais, e, portanto, suas áreas também seriam, desde que o buraco negro tivesse se fixado em um estado em que não mudasse com o tempo.

O comportamento não decrescente da área de um buraco negro lembrava muito o de uma grandeza física chamada entropia, que mede o grau de desordem de um sistema. A tendência da desordem a aumentar se não houver interferência é um fato do cotidiano. (Basta pararmos de fazer reparos pela casa para percebermos!) Podemos criar ordem a partir da desordem (por exemplo, podemos pintar a casa), mas é necessário um esforço ou um gasto de energia, o que diminui nossa quantidade de energia ordenada disponível.

Uma formulação precisa dessa ideia é conhecida como a segunda lei da termodinâmica. Ela afirma que a entropia de um sistema isolado sempre aumenta e que, quando dois sistemas são interligados, a entropia do sistema combinado é maior do que a soma das entropias dos sistemas individuais. Por exemplo, considere um sistema de moléculas de gás em uma caixa. Podemos pensar nas moléculas como pequenas bolas de bilhar colidindo-se e ricocheteando nas paredes da caixa sem parar. Quanto mais elevada a temperatura do gás, mais rápido é o movimento das moléculas, maiores são a frequência e a força com que elas colidem contra a caixa e maior é a pressão que exercem. Suponhamos que, a princípio, as moléculas estejam todas confinadas no lado esquerdo da caixa por uma divisória. Se a divisória é removida, as moléculas tendem a se espalhar e ocupar os dois lados da caixa. Em algum momento elas poderiam, por acaso, estar todas do lado direito ou de novo do lado esquerdo, mas há uma probabilidade esmagadoramente maior de haver uma quantidade mais ou menos igual nas duas metades. Um estado desses é menos ordenado, ou mais desordenado, do que o estado original em que todas as moléculas estavam em uma das metades. Logo, pode-se dizer que a entropia do gás aumentou. Do mesmo modo, digamos que temos duas caixas, uma contendo moléculas de oxigênio e outra contendo moléculas de nitrogênio. Se juntarmos as duas e removermos a divisória, as moléculas de oxigênio e de nitrogênio começarão a se misturar. A certa altura, o estado mais provável seria uma mistura razoavelmente uniforme de moléculas de oxigênio e nitrogênio pelo interior das duas caixas. Esse estado seria menos ordenado e, portanto, teria mais entropia do que o estado inicial das duas caixas separadas.

A segunda lei da termodinâmica tem um status um pouco diferente em relação às outras leis da ciência, como a lei da gravitação de Newton, pois ela nem sempre vigora, mas isso acontece na maioria dos casos. A probabilidade de todas as moléculas de gás em nossa primeira caixa serem encontradas em uma metade da caixa em um momento posterior é de um em muitos milhões de milhões, mas pode acontecer. No entanto, se você tiver um buraco negro à mão, parece haver um modo mais fácil de violar a segunda lei: basta jogar um pouco de matéria com bastante entropia, como uma caixa de gás, pelo buraco negro. A entropia total da matéria do lado de fora do buraco negro diminuiria. É claro que alguém ainda poderia dizer que a entropia total, incluindo a de dentro do buraco negro, não diminuiu — mas, uma vez que não é possível olhar dentro do buraco negro, não podemos saber quanta entropia há na matéria ali. Assim, seria ótimo se houvesse alguma particularidade do buraco negro que permitisse a observadores externos determinar sua entropia e afirmar que ela aumentaria sempre que alguma matéria portadora de entropia caísse dentro dele. Após a descoberta de que a área do horizonte de eventos aumenta sempre que alguma matéria cai no buraco negro, um pesquisador de Princeton chamado Jacob Bekenstein sugeriu que a área do horizonte de eventos é uma medida da entropia do buraco negro. À medida que matéria portadora de entropia cai em um buraco negro, a área de seu horizonte de eventos aumenta, de modo que a soma da entropia de matéria do lado de fora dos buracos negros e a área dos horizontes nunca diminuem.

Essa sugestão pareceu impedir a violação da segunda lei da termodinâmica na maioria das situações. No entanto, havia uma falha fatal. Se um buraco negro tem entropia, também deve ter temperatura. Porém um corpo com uma temperatura específica deve emitir radiação a uma determinada taxa. O senso comum nos mostra que, se aquecermos um atiçador no fogo, ele ficará incandescente e emitirá radiação, mas corpos a temperaturas mais baixas também emitem radiação — em geral, não percebemos porque a quantidade é razoavelmente pequena. Essa radiação é necessária para impedir a violação da segunda lei. Assim, buracos negros deveriam emitir radiação. Contudo, por definição, buracos negros são objetos que não deveriam emitir coisa alguma. Logo, ao que parecia, a área do horizonte de eventos de um buraco negro não podia ser encarada como sua entropia. Em 1972, escrevi um artigo com Brandon Carter e um colega americano, Jim Bardeen, no qual afirmamos que, embora houvesse diversas semelhanças entre a entropia e a área do horizonte de eventos, havia também essa dificuldade aparentemente fatal. Devo admitir que, ao escrever o artigo, fui motivado em parte pela irritação com Bekenstein, que, achava eu, havia feito mau uso de minha descoberta do aumento da área do horizonte de eventos. Entretanto, no fim revelou-se que ele tinha razão de modo geral, embora de uma forma que ele sem dúvida não havia esperado.

Em setembro de 1973, quando fui a Moscou, discuti buracos negros com dois importantes especialistas soviéticos, Yakov Zeldovich e Alexander Starobinsky. Eles me convenceram de que, de acordo com o princípio da incerteza da mecânica quântica, buracos negros em rotação deveriam criar e emitir partículas. Acreditei em seus argumentos no que dizia respeito à física, mas não gostei dos métodos com que calcularam a emissão. Desse modo, comecei a divisar um tratamento matemático melhor, que descrevi em um seminário informal em Oxford no fim de novembro de 1973. Na época, eu não tinha feito os cálculos para descobrir a quantidade de fato emitida. Esperava descobrir apenas a radiação que Zeldovich e Starobinsky haviam previsto para buracos negros em rotação. Contudo, quando fiz o cálculo, descobri, para minha surpresa e irritação, que, aparentemente, até mesmo buracos negros não rotativos deveriam criar e emitir partículas a uma taxa constante. De início, achei que essa emissão indicava que uma das minhas aproximações não era válida. Fiquei com receio de que Bekenstein descobrisse e usasse isso como argumento para apoiar suas ideias sobre a entropia dos buracos negros, das quais eu continuava não gostando. No entanto, quanto mais eu pensava a respeito, mais parecia que as aproximações de fato deviam estar corretas. O que de fato me convenceu de que a emissão era real foi que o espectro das partículas emitidas era exatamente o que seria emitido por um corpo aquecido e que o buraco negro estava expelindo partículas à taxa correta para impedir a violação da segunda lei. Desde então, outras pessoas repetiram os cálculos em um sem-número de formas. Todos confirmam que um buraco negro deveria emitir partículas e radiação como se fosse um corpo aquecido a uma temperatura que depende apenas da massa do buraco negro: quanto mais elevada a massa, mais baixa a temperatura.

Como é possível que um buraco negro pareça emitir partículas quando sabemos que nada pode escapar de seu horizonte de eventos? A resposta, diz a teoria quântica, é que as partículas não vêm de dentro do buraco negro, mas do espaço "vazio" imediatamente fora do horizonte de eventos! Podemos compreender isso da seguinte maneira: o que pensamos como espaço "vazio" não pode ser vazio por completo porque isso significaria que todos os campos, como o gravitacional e o eletromagnético, teriam de ser exatamente zero. Entretanto, o valor de um campo e sua taxa de mudança com o tempo são como a posição e a velocidade de uma partícula: pelo princípio da incerteza, quanto maior a precisão com que sabemos uma dessas quantidades, menos sabemos a outra. Assim, no espaço vazio, o campo não pode ser estabelecido em exatamente zero, pois nesse caso teria tanto um valor preciso (zero) como uma taxa de mudança precisa (também zero). Deve haver uma quantidade mínima de incerteza, ou flutuações quânticas, no valor do campo. Podemos pensar nessas flutuações como pares de partículas de luz ou gravidade que aparecem juntas a certa altura, afastam-se, depois se unem outra vez e se aniquilam. Essas partículas são partículas virtuais, como as que transmitem a força gravitacional do Sol: ao contrário das partículas reais, elas não podem ser observadas de forma direta por um detector de partículas. Entretanto, seus efeitos indiretos, como pequenas mudanças na energia das órbitas dos elétrons nos átomos, podem ser medidos e estão de acordo com as previsões teóricas em um grau de precisão notável. O princípio da incerteza prevê também que há pares virtuais similares de partículas de matéria, como elétrons ou quarks. Nesse caso, contudo, um membro do par será uma partícula e o outro, uma antipartícula (as antipartículas de luz e gravidade são idênticas às partículas).

Como a energia não pode ser criada a partir do nada, uma das parceiras em um par de partícula/antipartícula terá energia positiva, e a outra, negativa. A que tem energia negativa está condenada a ser uma partícula virtual de vida curta, pois partículas reais sempre têm energia positiva em situações normais. Ela deve, portanto, procurar sua parceira e se aniquilar com ela. Entretanto, uma partícula real perto de um corpo massivo tem menos energia do que se estivesse distante, porque seria preciso energia para alçá-la para longe da atração gravitacional do corpo. Em geral, a energia da partícula ainda é positiva, porém o campo gravitacional dentro de um buraco negro é tão forte que até mesmo uma partícula real pode ter energia negativa ali. Então, se há um buraco negro, é possível que a partícula virtual com energia negativa caia nele e se torne uma partícula ou antipartícula real. Nesse caso, ela não precisa mais se aniquilar com sua parceira. Sua companheira abandonada também pode cair no buraco negro. Ou, tendo energia positiva, pode escapar das proximidades do buraco negro como uma partícula ou antipartícula real [Figura 7.4]. Para um observador distante, parecerá que ela foi emitida do buraco negro. Quanto menor o buraco negro, mais curta a

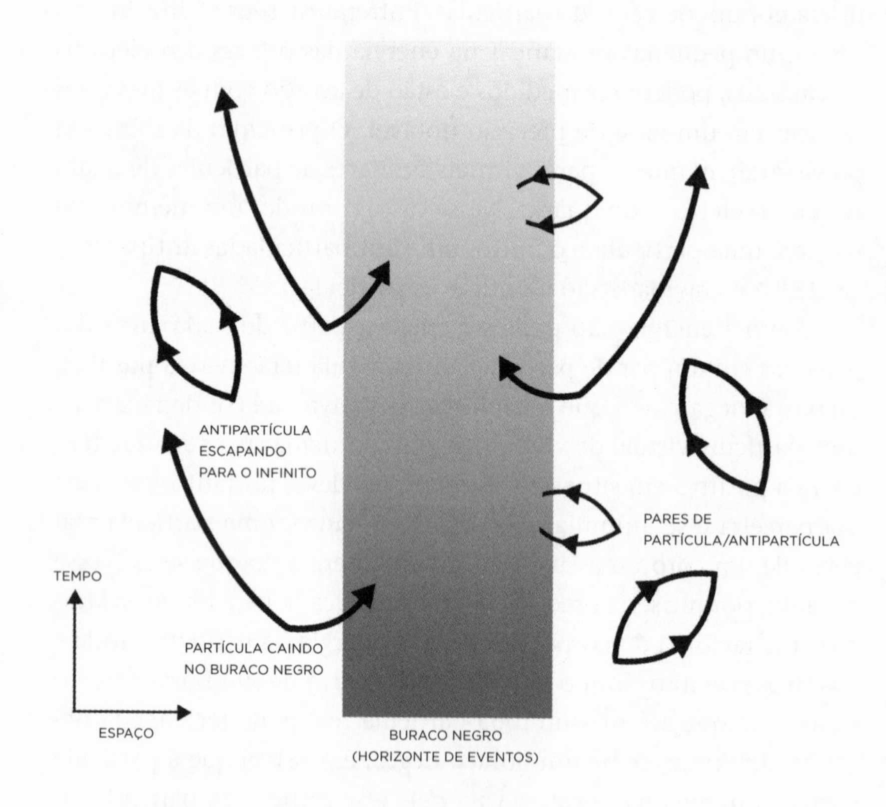
ANTIPARTÍCULA
ESCAPANDO
PARA O INFINITO
PARES DE
PARTÍCULA/ANTIPARTÍCULA
TEMPO
PARTÍCULA CAINDO
NO BURACO NEGRO
ESPAÇO
BURACO NEGRO
(HORIZONTE DE EVENTOS)

FIGURA 7.4

distância que a partícula com energia negativa terá de percorrer até se tornar uma partícula real e, assim, maior é a taxa de emissão, bem como a temperatura aparente, do buraco negro.

A energia positiva da radiação emitida seria contrabalançada por um fluxo de partículas de energia negativa para dentro do buraco negro. Pela equação de Einstein, $E= mc^2$ (em que E é a energia, m é a massa e c é a velocidade da luz), a energia é proporcional à massa. Portanto, um fluxo de energia negativa para dentro do buraco negro reduz sua massa. À medida que o buraco negro perde massa, a área de seu horizonte de eventos diminui, mas esse decréscimo na entropia do buraco negro é mais do que compensado pela entropia da radiação emitida, de modo que nunca há violação da segunda lei da termodinâmica.

Além disso, quanto menor a massa do buraco negro, mais elevada é sua temperatura. Portanto, à medida que o buraco negro perde massa, sua temperatura e sua taxa de emissão aumentam, e assim ele perde massa mais depressa. Ainda não está muito claro o que acontece quando a massa do buraco negro enfim se torna extremamente pequena, mas a hipótese mais razoável é que ele desapareceria por completo em uma tremenda erupção final, o equivalente à explosão de milhões de bombas de hidrogênio.

Um buraco negro com massa de algumas vezes a do Sol teria a temperatura de apenas um décimo milionésimo de grau acima do zero absoluto. Isso é bem menos do que a temperatura da radiação de micro-ondas que preenche o universo (cerca de 2,7 graus acima do zero absoluto), portanto esses buracos negros emitiriam ainda menos do que absorvem. Se o universo está fadado a se expandir eternamente, a temperatura da radiação de micro-ondas acabará decrescendo para menos do que a de um buraco negro, que começará então a perder massa. No entanto, mesmo nesse caso, sua temperatura seria tão baixa que levaria cerca de um milhão de milhões de milhões de milhões de milhões de milhões de milhões de milhões de milhões de milhões de milhões de anos (1 seguido de 66 zeros) para evaporar por completo. É muito mais tempo do que a idade do universo, que tem apenas entre dez e vinte bilhões de anos (1 ou 2 seguido de dez zeros). Por outro lado, como mencionado no Capítulo 6, pode haver buracos negros primordiais com massa muito menor, que foram criados pelo colapso de irregularidades nos estágios mais primitivos do universo. Esses buracos negros teriam uma temperatura bem mais elevada e emitiriam radiação a uma taxa muito maior. Um buraco negro primordial com massa inicial de alguns bilhões de toneladas teria um tempo de vida aproximadamente igual à idade do universo. Buracos negros primordiais com massas iniciais menores do que essa já teriam evaporado por completo, mas os que tivessem massa ligeiramente maior continuariam emitindo radiação na forma de raios X e raios gama, que são como ondas de luz, mas de comprimento muito mais curto. Tais buracos mal merecem ser chamados de negros: são, na verdade, brancos e incandescentes e emitem energia a uma taxa de cerca de dez mil megawatts.

Um buraco negro como esse poderia alimentar dez grandes usinas elétricas, se ao menos conseguíssemos extrair sua energia. Contudo, isso seria um tanto difícil: o buraco negro teria a massa de uma montanha comprimida em menos de um trilionésimo de centímetro, o tamanho do núcleo de um átomo! Se tivéssemos um desses buracos negros na superfície da Terra, não haveria como impedi-lo de atravessar o chão e cair até o centro do planeta. Ele ficaria indo e vindo através da Terra até acabar se acomodando no centro. Assim, o único lugar onde posicionar um buraco negro desses, de modo a poder utilizar a energia emitida, seria em órbita em torno do planeta — e a única maneira de fazer com que entrasse em órbita seria atraí-lo para lá, prendendo uma grande massa diante dele, como uma cenoura diante do burro. Não parece uma ideia muito prática, pelo menos não no futuro imediato.

No entanto, mesmo que não possamos aproveitar a emissão desses buracos negros primordiais, que chances temos de observá-los? Poderíamos procurar os raios gama que eles emitem durante a maior parte de seu tempo de vida. Embora a radiação da maioria seja muito fraca porque esses corpos estão longe demais, o volume total da radiação emitida por todos eles poderia ser detectável. E, de fato, observamos essa radiação de fundo dos raios gama: a Figura 7.5 mostra como a intensidade observada varia em frequências diferentes (o número de ondas por segundo). Entretanto, essa radiação de fundo pode ter sido, e provavelmente foi, gerada por outros processos que não buracos negros primordiais. A linha pontilhada na Figura 7.5 mostra como a intensidade deveria variar com a frequência por raios gama emitidos por buracos negros primordiais, se houvesse em média trezentos deles por ano-luz cúbico. Portanto, pode-se dizer que as observações da radiação gama de fundo não fornecem qualquer evidência positiva da existência de buracos negros primordiais, mas sem dúvida nos informam que, em média, não pode haver mais do que trezentos em cada ano-luz cúbico no universo. Esse limite significa que buracos negros primordiais poderiam constituir no máximo um milionésimo da matéria no universo.

Dada a escassez de buracos negros primordiais, talvez pareça improvável que haja um perto de nós o suficiente para que possamos observá-lo como fonte individual de raios gama. Entretanto, como a gravidade deve atrair buracos negros primordiais na direção de qualquer matéria, eles seriam muito mais comuns dentro e em torno das galáxias. Assim, embora a radiação gama de fundo nos informe que não pode haver mais do que, em média, trezentos buracos negros por ano-luz cúbico, ela não nos diz coisa alguma sobre até que ponto eles devem ser comuns em nossa galáxia. Se fossem, digamos, um milhão de vezes mais comuns, o buraco negro mais próximo de nós provavelmente estaria a uma distância de cerca de um bilhão de quilômetros, ou mais ou menos tão longe quanto Plutão. A essa distância, ainda seria muito difícil detectar a emissão regular de um buraco negro, mesmo que ela fosse de dez mil megawatts. A fim de observar um buraco negro primordial, teríamos de detectar diversos quanta de raios gama vindos da mesma direção dentro de

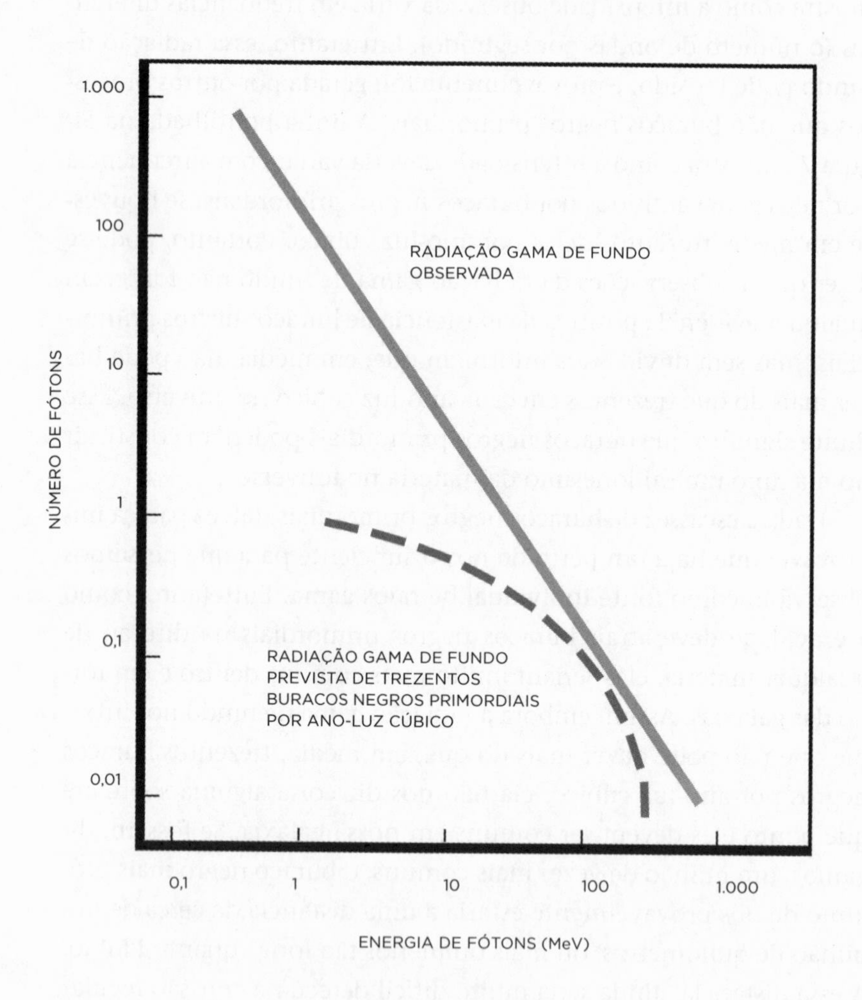
1.000
100
10
1
0,1
0,01
NÚMERO DE FÓTONS
RADIAÇÃO GAMA DE FUNDO
OBSERVADA
RADIAÇÃO GAMA DE FUNDO
PREVISTA DE TREZENTOS
BURACOS NEGROS PRIMORDIAIS
POR ANO-LUZ CÚBICO
0,1
1
10
100
1.000
ENERGIA DE FÓTONS (MeV)

FIGURA 7.5

um período razoável, como uma semana. Do contrário, eles poderiam ser simplesmente parte da radiação de fundo. Mas o princípio quântico de Planck nos diz que cada quantum de raio gama possui uma energia muito alta, pois raios gama têm uma frequência muito alta, então não haveria necessidade de muitos quanta para irradiar dez mil megawatts. Observar essa baixa quantidade vindo da distância de Plutão exigiria um detector de raios gama maior do que qualquer um jamais construído. Além do mais, o detector teria de ficar no espaço, pois os raios gama não conseguem penetrar a atmosfera terrestre.

Claro que, se um buraco negro tão próximo quanto Plutão atingisse o fim de sua vida e explodisse, seria fácil detectar a última emissão. Contudo, se estivesse emitindo radiação pelos últimos dez ou vinte bilhões de anos, a chance de ele atingir o fim de sua vida nos próximos anos, e não em muitos milhões de anos no passado ou no futuro, seria bastante pequena! Assim, para ter uma chance razoável de ver uma explosão antes que sua bolsa de pesquisa acabe, você precisaria encontrar um modo de detectar quaisquer explosões na distância de cerca de um ano-luz. Na verdade, explosões de raios gama vindas do espaço foram detectadas por satélites originalmente feitos para localizar violações do Tratado de Interdição Parcial de Testes Nucleares. Elas parecem ocorrer cerca de dezesseis vezes por mês, distribuídas de maneira mais ou menos uniforme por todo o céu. Isso indica que provêm de fora do Sistema Solar; caso contrário, seria de se esperar que se concentrassem junto ao plano das órbitas planetárias. A distribuição uniforme indica também que suas fontes estão razoavelmente próximas de nós em nossa galáxia ou logo além de sua fronteira em termos cosmológicos, pois, caso contrário, se concentrariam junto ao plano da galáxia. Neste último caso, a energia exigida para explicar as explosões seria elevada demais para ter sido produzida por buracos negros minúsculos — porém, se as fontes estivessem próximas, haveria possibilidade de serem buracos negros explodindo. Pessoalmente, eu adoraria que fossem buracos negros, mas tenho de admitir que há outras explicações possíveis para as explosões de raios gama, como estrelas de nêutron em colisão. Novas observações nos próximos anos, feitas, em especial, por detectores de ondas gravitacionais como o Ligo, devem nos permitir encontrar a origem das explosões de raios gama.

Mesmo que a busca por buracos negros primordiais se revele nula, como parece ser possível, ainda assim ela nos trará informações importantes sobre os estágios mais iniciais do universo. Se o universo primitivo tivesse sido caótico ou irregular, ou se a pressão da matéria tivesse sido baixa, seria de se esperar que ele tivesse produzido muito mais buracos negros primordiais do que o limite já determinado por nossas observações da radiação gama de fundo. Apenas se o universo primitivo tivesse sido muito liso e uniforme, com pressão elevada, poderíamos explicar a ausência de uma quantidade observável de buracos negros primordiais.

A ideia de uma radiação originária de buracos negros foi o primeiro exemplo de uma previsão que dependeu essencialmente das duas grandes teorias do século XX: a relatividade geral e a mecânica quântica. Ela suscitou bastante oposição inicial, pois incomodava o ponto de vista vigente: "Como um buraco negro pode emitir o que quer que seja?" Quando anunciei os resultados de meus cálculos em uma conferência no Laboratório Rutherford-Appleton, perto de Oxford, o clima era de incredulidade geral. No fim de minha apresentação, o presidente da sessão, John G. Taylor, do King's College de Londres, alegou que era tudo bobagem. Ele chegou até a escrever um artigo nesse sentido. Entretanto, no fim das contas, a maioria, incluindo John Taylor, chegou à conclusão de que, se nossas outras ideias sobre a relatividade geral e a mecânica quântica estiverem corretas, buracos negros devem emitir radiação como corpos quentes. Assim, ainda que não tenhamos conseguido encontrar um buraco negro primordial, há um consenso geral razoável de que, se o fizéssemos, ele teria de emitir grande quantidade de raios gama e raios X.

A existência de radiação originária de buracos negros parece implicar que o colapso gravitacional não é tão definitivo e irreversível como pensávamos. A massa de um buraco negro crescerá se um astronauta cair nele, mas no fim a energia equivalente a esse acréscimo será devolvida ao universo em forma de radiação. Assim, em certo sentido, o astronauta será "reciclado". Mas seria um tipo de imortalidade insatisfatória, pois qualquer conceito pessoal de tempo para o astronauta quase certamente chegaria ao fim assim que ele fosse dilacerado no buraco negro! Mesmo os tipos de partículas emitidas em algum momento pelo buraco negro seriam, de modo geral, diferentes das que compõem o astronauta: a única característica que restaria do astronauta seria sua massa ou energia.

As aproximações que usei para deduzir a emissão vinda de buracos negros deverão funcionar bem quando este tiver massa maior do que uma fração de grama. Entretanto, perderão a eficácia no fim da vida do buraco negro, quando sua massa ficará muito pequena. O resultado mais provável parece ser que o buraco negro simplesmente desaparecerá, pelo menos da nossa região do universo, levando consigo o astronauta e qualquer singularidade que possa haver dentro dele, se de fato há alguma. Esse foi o primeiro indicativo de que a mecânica quântica poderia eliminar as singularidades previstas pela relatividade geral. Entretanto, os métodos que eu e outras pessoas usávamos em 1974 não foram capazes de responder a certas questões, tais como se as singularidades ocorreriam na gravidade quântica. De 1975 em diante, portanto, comecei a desenvolver uma abordagem mais potente sobre a gravidade quântica, baseada na ideia de soma das histórias de Richard Feynman. As respostas que essa abordagem sugere para a origem e o destino do universo e de seus conteúdos, como os astronautas, serão descritas nos dois próximos capítulos. Veremos que, embora o princípio da incerteza ofereça limitações quanto à precisão de todos os nossos prognósticos, ele pode, ao mesmo tempo, eliminar a imprevisibilidade fundamental que ocorre em uma singularidade do espaço-tempo.

8

A ORIGEM E O DESTINO DO UNIVERSO

A TEORIA DA RELATIVIDADE GERAL DE EINSTEIN PREVIU QUE O espaço-tempo começou na singularidade do Big Bang e chegaria ao fim na singularidade do Big Crunch (se todo o universo voltasse a entrar em colapso) ou em uma singularidade dentro de um buraco negro (se uma região local, como uma estrela, entrasse em colapso). Qualquer matéria que caísse no buraco negro seria destruída na singularidade, e apenas o efeito gravitacional de sua massa ainda seria sentido do lado de fora. Em contrapartida, quando os efeitos quânticos passaram a ser levados em consideração, parecia que a massa ou energia da matéria acabaria sendo devolvida ao resto do universo e que o buraco negro, junto com qualquer singularidade dentro dele, evaporaria até desaparecer. Será que a mecânica quântica pode ter um efeito igualmente dramático nas singularidades do Big Bang e do Big Crunch? O que ocorre de fato durante os primeiros e últimos estágios do universo, quando os campos gravitacionais são tão fortes que os efeitos quânticos não podem ser ignorados? O universo tem mesmo um início ou um fim? Se sim, como eles são?

Ao longo da década de 1970, dediquei-me a estudar principalmente os buracos negros, mas em 1981 meu interesse nas questões sobre a origem e o destino do universo foi renovado quando compareci a uma conferência sobre cosmologia organizada pelos jesuítas no Vaticano. A Igreja Católica havia cometido um erro terrível com Galileu ao tentar dar a última palavra em uma questão científica, declarando que o Sol girava em torno da Terra. Então, séculos mais tarde, ela decidiu convidar um grupo de especialistas para aconselhá-la em cosmologia. No fim da conferência, foi concedida aos participantes uma audiência com o papa. Ele nos disse que não havia problema em estudar a evolução do universo após o Big Bang, mas que não deveríamos investigar o Big Bang em si porque esse era o momento da Criação e, portanto, uma obra divina. Fiquei feliz por ele não saber o assunto da palestra que eu tinha acabado de proferir na conferência — a possibilidade de que o espaço-tempo fosse finito mas sem contorno, o que significa que não teve um início, um momento da Criação. Eu não tinha o menor desejo de compartilhar o destino de Galileu, com quem muito me identifico, em parte devido à coincidência de ter nascido exatamente trezentos anos após sua morte!

A fim de explicar as ideias que eu e outras pessoas tivemos sobre como a mecânica quântica pode afetar a origem e o destino do universo, é necessário primeiro compreender a história geralmente aceita do universo, segundo o que se conhece como "modelo do Big Bang quente". Este presume que o universo é descrito por um modelo de Friedmann, remontando até o Big Bang. Em tais modelos descobrimos que, à medida que o universo se expande, qualquer matéria ou radiação nele esfria. (Quando o universo dobra de tamanho, sua temperatura cai pela metade.) Uma vez que a temperatura é apenas uma medida da energia — ou velocidade — média das partículas, esse resfriamento do universo exerceria um efeito preponderante na matéria contida nele. A temperaturas muito elevadas, as partículas se moveriam tão rápido que poderiam escapar de qualquer atração mútua devido às forças nuclear ou eletromagnética; mas, à medida que esfriassem, seria de se esperar que as partículas que se atraem mutuamente começassem a se agrupar. Além do mais, mesmo os tipos de partículas que existem no universo dependeriam da temperatura. Sob temperaturas bastante elevadas, as partículas têm tanta energia que, sempre que colidissem, produziriam inúmeros pares de partícula/antipartícula diferentes — e, embora algumas dessas partículas se aniquilassem ao atingir as antipartículas, elas seriam produzidas com mais rapidez do que seriam aniquiladas. A temperaturas inferiores, contudo, quando partículas que colidem detêm menos energia, os pares partícula/antipartícula seriam produzidos mais devagar, e a aniquilação se tornaria mais rápida que a produção.

Acredita-se que no Big Bang o universo tivesse tamanho zero e, assim, seria infinitamente quente. Contudo, à medida que o universo se expandiu, a temperatura da radiação decresceu. Um segundo após o Big Bang, ela teria caído para cerca de dez bilhões de graus Kelvin.* Isso é cerca de mil vezes a temperatura no núcleo do Sol, mas temperaturas tão elevadas como essa são atingidas em explosões de bombas de hidrogênio. Nessa época, o universo teria contido sobretudo fótons, elétrons e neutrinos (partículas extremamente leves que são afetadas apenas pela força fraca e pela gravidade) e suas antipartículas, além de alguns prótons e nêutrons. À medida que o universo continuasse a se expandir e as temperaturas a diminuir, a taxa em que os pares de elétrons/antielétrons eram produzidos em

* A temperatura em graus Kelvin é a temperatura em graus Celsius mais 273. A escala de temperatura Kelvin é a escala de temperatura termodinâmica, cujo zero (0 Kelvin ou −273°C) é a menor temperatura possível, ou zero absoluto. No caso, dez bilhões de graus Kelvin é praticamente o mesmo que dez bilhões de graus Celsius. (N. do R.T.)

colisões teria caído abaixo da taxa em que estavam sendo destruídos por aniquilação. Assim, a maioria dos elétrons e antielétrons teria se aniquilado mutuamente, produzindo mais fótons e deixando apenas alguns elétrons. No entanto, os neutrinos e antineutrinos não teriam se aniquilado, pois a interação dessas partículas entre si e com outras partículas é muito fraca. Portanto, ainda devem estar por aí. Se pudéssemos observá-los, teríamos uma boa ideia de como era esse estágio primitivo muito quente do universo. Infelizmente, a energia dessas partículas seria hoje baixa demais para que elas pudessem ser observadas de forma direta. No entanto, se neutrinos não forem destituídos de massa, mas tiverem uma pequena massa própria, como sugerido por alguns experimentos recentes, talvez sejamos capazes de detectá-los por vias indiretas: eles poderiam ser uma forma de matéria escura, como a que mencionei antes, com atração gravitacional suficiente para deter a expansão do universo e levá-lo a entrar em colapso outra vez.

Cerca de cem segundos após o Big Bang, a temperatura teria caído para um bilhão de graus, o equivalente ao interior das estrelas mais quentes. A essa temperatura, prótons e nêutrons já não possuiriam energia suficiente para escapar da atração da força nuclear forte e teriam começado a se combinar para produzir os núcleos dos átomos de deutério (hidrogênio pesado), que contêm um próton e um nêutron. Então os núcleos do deutério teriam se combinado com mais prótons e nêutrons para compor núcleos de hélio, que contêm dois prótons e dois nêutrons, e também pequenas quantidades de outros dois elementos mais pesados: lítio e berílio. Podemos calcular que, no modelo do Big Bang quente, cerca de um quarto dos prótons e nêutrons teria sido convertido em núcleos de hélio, juntamente com uma pequena quantidade de hidrogênio pesado e outros elementos. Os nêutrons remanescentes teriam decaído em prótons, que são os núcleos dos átomos de hidrogênio comum.

Esse cenário de um estágio primitivo quente do universo foi proposto pela primeira vez pelo cientista George Gamow, em um famoso artigo escrito em 1948 com um aluno dele, Ralph Alpher. Gamow tinha um senso de humor e tanto — ele convenceu o cientista nuclear Hans Bethe a acrescentar seu nome ao artigo para que a lista de autores fosse "Alpher, Bethe, Gamow", como as primeiras três letras do alfabeto grego (alfa, beta, gama): particularmente apropriado para um artigo sobre o início do universo! Nesse trabalho, eles fizeram a notável previsão de que a radiação (na forma de fótons) dos estágios primitivos muito quentes do universo deveria existir até hoje, mas com sua temperatura reduzida para apenas alguns graus acima do zero absoluto (– 273°C). Foi essa radiação que Penzias e Wilson descobriram em 1965. Na época em que Alpher, Bethe e Gamow escreveram o artigo, não se sabia muito sobre as reações nucleares de prótons e nêutrons. Desse modo, as previsões para as proporções dos vários elementos no universo primitivo eram um tanto imprecisas, mas esses cálculos foram repetidos à luz de um conhecimento mais aprofundado e hoje estão bastante de acordo com o que observamos. Além do mais, é muito difícil explicar de outra maneira por que há tanto hélio no universo. Assim, estamos razoavelmente confiantes de que dispomos do cenário correto, pelo menos até cerca de um segundo depois do Big Bang.

Em apenas poucas horas após o Big Bang, a produção de hélio e outros elementos teria cessado. E, depois disso, durante o milhão de anos seguinte, o universo teria simplesmente continuado a se expandir, sem que acontecesse muito mais além disso. Enfim, assim que a temperatura tivesse caído para alguns milhares de graus e elétrons e núcleos já não tivessem energia suficiente para suplantar a atração eletromagnética entre si, eles teriam começado a se combinar para formar átomos. O universo teria continuado a se expandir e a resfriar, mas, em regiões um pouco mais densas do que a média, a expansão teria sido desacelerada pela atração gravitacional maior. Isso teria detido a expansão em algumas regiões e feito com que voltassem a entrar em colapso. À medida que o colapso ocorresse, a atração gravitacional da matéria fora dessas regiões as teria levado a girar levemente. Conforme a região em colapso diminuísse, girava mais rápido — assim como esquiadores rodopiando no gelo quando encolhem os braços. Depois, quando a região ficasse pequena o suficiente, giraria rápido o bastante para contrabalançar a atração da gravidade, e desse modo teriam nascido galáxias em forma de disco. Outras regiões, que por acaso não tivessem entrado em movimento de rotação, teriam se tornado objetos ovalados chamados galáxias elípticas. Nelas, a região pararia de entrar em colapso porque partes individuais da galáxia estariam em órbitas estáveis em torno de seu centro, mas a galáxia como um todo não teria rotação.

Com o passar do tempo, os gases hidrogênio e hélio nas galáxias se fragmentariam em nuvens menores que entrariam em colapso sob a própria gravidade. Conforme estas se contraíssem, e os átomos dentro delas colidissem entre si, a temperatura do gás aumentaria, até enfim ficar quente o bastante para dar início a reações de fusão nuclear. Essas reações converteriam o hidrogênio em mais hélio, e o calor emitido aumentaria a pressão, impedindo as nuvens de se contrair ainda mais. Elas permaneceriam estáveis por um longo período como estrelas parecidas com o nosso Sol, queimando hidrogênio em hélio e irradiando a energia resultante na forma de calor e luz. Estrelas mais massivas precisariam ser mais quentes para equilibrar sua atração gravitacional mais forte, fazendo com que as reações de fusão nuclear ocorressem tão depressa que elas consumiriam seu hidrogênio em apenas cem milhões de anos. Em seguida, elas se contrairiam de leve e, à medida que esquentassem mais, começariam a converter o hélio em elementos mais pesados, como carbono ou oxigênio. Isso, porém, não liberaria muito mais energia, de modo que haveria uma crise, como a descrita no capítulo sobre buracos negros. O que ocorreria em seguida não está completamente claro, mas parece provável que as regiões centrais da estrela colapsariam até um estado muito denso, como uma estrela de nêutrons ou um buraco negro. As regiões externas da estrela às vezes podem ser expelidas em uma enorme explosão chamada supernova, que ofuscaria o brilho de todas as demais estrelas em sua galáxia. Parte dos elementos mais pesados produzidos próximo ao fim da vida da estrela seria arremessada de volta para o gás da galáxia e forneceria parte da matéria-prima para a geração seguinte de estrelas. Nosso próprio Sol contém cerca de 2% desses elementos mais pesados, pois é uma estrela de segunda ou terceira geração, formada há cerca de cinco bilhões de anos a partir de uma nuvem de gás em rotação contendo os restos de supernovas anteriores. A maior parte do gás nessa nuvem entrou na formação do Sol ou foi expelida, mas uma pequena quantidade dos elementos mais pesados se agrupou para formar os corpos que hoje orbitam o Sol na condição de planetas, como a Terra.

No início, a Terra era muito quente e não tinha atmosfera. Com o passar do tempo, resfriou e adquiriu uma atmosfera pela emissão de gases das rochas. Teria sido impossível sobrevivermos nessa atmosfera primitiva. Ela não continha oxigênio algum, apenas uma grande quantidade de outros gases venenosos para o ser humano, como sulfeto de hidrogênio (o gás que dá cheiro a ovos podres). Entretanto, existem outras formas de vida primitiva capazes de prosperar sob tais condições. Acredita-se que elas tenham se desenvolvido nos oceanos, talvez como resultado de combinações aleatórias de átomos em estruturas maiores, chamadas macromoléculas, que são capazes de agregar outros átomos no oceano para formar estruturas semelhantes. Assim, elas teriam se reproduzido e multiplicado. Em alguns casos, haveria erros na reprodução. A maior parte desses erros teria feito com que a nova macromolécula não fosse capaz de se reproduzir e acabasse por ser destruída. No entanto, alguns erros teriam produzido novas macromoléculas ainda mais eficientes em se reproduzir. Elas teriam uma vantagem e tenderiam a substituir as macromoléculas originais. Dessa forma, iniciou-se um processo evolutivo que levou ao desenvolvimento de organismos cada vez mais complexos, capazes de autorreplicação. As primeiras formas de vida primitivas consumiram vários materiais, incluindo o sulfeto de hidrogênio, e liberaram oxigênio. Aos poucos, isso mudou a atmosfera para a composição que ela tem hoje e permitiu o desenvolvimento de formas superiores de vida, como peixes, répteis, mamíferos e, enfim, a raça humana.

Esse cenário do universo que começou muito quente e resfriou à medida que se expandiu está de acordo com toda a evidência observacional de que dispomos hoje. Contudo, deixa uma série de questões importantes ainda a serem respondidas:

1. Por que o universo primitivo era tão quente?
2. Por que o universo é tão uniforme em grande escala? Por que ele parece igual em todos os pontos do espaço e em todas as direções? Em particular, por que a temperatura da radiação cósmica de fundo em micro-ondas é praticamente igual quando olhamos em direções diferentes? É mais ou menos como uma questão de prova aplicada a um grupo de alunos. Se todos fornecem exatamente a mesma resposta, você pode ter quase certeza de que eles se comunicaram. Contudo, no modelo descrito nas últimas páginas, não teria havido tempo desde o Big Bang para que a luz viajasse de uma região distante a outra, ainda que as regiões estivessem bem próximas entre si no universo primitivo. Segundo a teoria da relatividade, se a luz não consegue ir de uma região a outra, nenhuma outra informação consegue. Assim, não haveria como regiões diferentes do universo primitivo terem a mesma temperatura, a menos que, por algum motivo inexplicado, todas tivessem começado com a mesma temperatura.
3. Por que o universo começou com uma expansão tão próxima da taxa de expansão crítica (que separa os modelos que voltam a entrar em colapso daqueles que continuam a se expandir eternamente) que, mesmo hoje, dez bilhões de anos depois, ele continua se expandindo quase à taxa crítica? Se a taxa de expansão um segundo após o Big Bang tivesse sido menor, mesmo que em uma parte em cem milhões de bilhões, o universo teria voltado a entrar em colapso antes de atingir seu tamanho atual.

4. A despeito do fato de o universo ser tão uniforme e homogêneo em grande escala, ele contém irregularidades locais, como estrelas e galáxias. Acredita-se que elas tenham se desenvolvido a partir de pequenas diferenças na densidade do universo primitivo de uma região para outra. Qual foi a origem dessas flutuações de densidade?

A teoria da relatividade geral, por si só, não é capaz de explicar essas características ou responder a essas perguntas devido à sua previsão de que o universo começou com densidade infinita na singularidade do Big Bang. Na singularidade, a relatividade geral e todas as demais leis físicas não teriam vigência: seria impossível prever o que resultaria da singularidade. Como explicado antes, isso significa que podemos deixar o Big Bang e quaisquer eventos antes dele de fora da teoria, pois eles não têm como exercer efeito algum no que observamos. O espaço-tempo *teria* um contorno — um início no Big Bang.

A ciência parece ter revelado uma série de leis que, dentro dos limites estabelecidos pelo princípio da incerteza, nos informam como o universo vai se desenvolver ao longo do tempo, se soubermos de seu estado em certo momento. Essas leis talvez tenham sido decretadas originalmente por Deus, mas, ao que tudo indica, desde então ele deixou que o universo evoluísse de acordo com elas e não intervém mais em seu funcionamento. Entretanto, como ele escolheu o estado ou a configuração inicial do universo? Quais eram as "condições de contorno" no início do tempo?

Uma resposta possível é dizer que Deus escolheu a configuração inicial do universo por motivos muito além de nossa compreensão. Isso sem dúvida estaria ao alcance de um ser onipotente, mas, se ele começou o universo de maneira tão incompreensível, por que optou por deixar que evoluísse segundo leis que pudéssemos entender? Toda a história da ciência consiste na compreensão gradual de que os eventos não acontecem de maneira arbitrária, mas refletem uma ordem subjacente, que pode ou não ser de inspiração divina. Nada mais natural do que supor que essa ordem deveria se aplicar não só às leis, mas também às condições no contorno do espaço-tempo que descrevem o estado inicial do universo. Talvez haja um grande número de modelos do universo com diferentes condições iniciais que obedeçam às leis. Deveria haver algum princípio que selecionasse um estado inicial — e, portanto, um modelo — para representar nosso universo.

Uma dessas possibilidades é o que chamamos de condições de contorno caóticas. O pressuposto implícito nessa ideia é que o universo é espacialmente infinito ou que existe um número infinito de universos. Sob as condições de contorno caóticas, a probabilidade de encontrar qualquer região específica do espaço sob qualquer configuração possível logo após o Big Bang é a mesma, em certo sentido, do que a probabilidade de encontrá-la sob qualquer outra configuração: o estado inicial do universo é escolhido de forma puramente aleatória. Assim, é provável que o universo primitivo tivesse sido muito caótico e irregular, pois há muito mais configurações caóticas e desordenadas do que configurações uniformes e ordenadas. (Se cada configuração tem igual probabilidade, há mais chances de que o universo tenha começado em um estado caótico e desordenado, simplesmente porque há muito mais estados desse tipo.) É difícil ver como tais condições iniciais caóticas poderiam ter dado origem a um universo tão uniforme e liso em grande escala, como é o caso do nosso atual. Também seria de se esperar que as flutuações de densidade nesse tipo de modelo levassem à formação de muito mais buracos negros primordiais do que o limite superior estabelecido pelas observações da radiação gama de fundo.

Se o universo é de fato espacialmente infinito, ou se existe uma quantidade infinita de universos, é provável que existam amplas regiões em algum lugar que começaram de maneira regular e uniforme. É um pouco como o célebre exército de macacos datilografando — a maior parte do que escrevem não faz sentido, mas muito de vez em quando, por puro acaso, eles irão datilografar um dos sonetos de Shakespeare. Do mesmo modo, no caso do universo, poderia acontecer de estarmos vivendo em uma região que calhou de ser, por acaso, lisa e uniforme? À primeira vista, isso deve parecer muito improvável, pois a quantidade de regiões tão lisas teria sido bastante inferior à de regiões caóticas e irregulares. Entretanto, suponha que apenas nas regiões lisas tenha ocorrido a formação de galáxias e estrelas e, logo, de condições apropriadas para o desenvolvimento de organismos complexos autorreplicadores como nós, capazes de fazer a pergunta "Por que o universo é tão liso?". Isso é um exemplo da aplicação do que se conhece como princípio antrópico, que pode ser parafraseado assim: "Vemos o universo da maneira como ele é porque existimos."

Existem duas versões do princípio antrópico: a fraca e a forte. O princípio antrópico fraco afirma que, em um universo grande ou infinito no espaço e/ou no tempo, só haverá condições necessárias para o desenvolvimento de vida inteligente em determinadas regiões limitadas no espaço e no tempo. Desse modo, os seres inteligentes nessas regiões não devem ficar surpresos se observarem que sua localização no universo satisfaz as condições necessárias para sua existência. É um pouco como uma pessoa rica que mora em um bairro nobre e não vê pobreza alguma.

Um exemplo do uso do princípio antrópico fraco é "explicar" por que o Big Bang ocorreu cerca de dez bilhões de anos atrás: leva mais ou menos todo esse tempo para seres inteligentes se desenvolverem. Como explicado há pouco, uma geração anterior de estrelas teve de se formar primeiro. Essas estrelas converteram parte do hidrogênio e do hélio originais em elementos como carbono e oxigênio, a partir dos quais somos feitos. As estrelas, então, explodiram como supernovas, e seus fragmentos formaram outras estrelas e planetas, entre os quais os existentes em nosso Sistema Solar, que tem cerca de cinco bilhões de anos. Os primeiros um ou dois bilhões de anos de existência da Terra foram quentes demais para o desenvolvimento de qualquer organismo complexo. Os outros cerca de três bilhões de anos foram ocupados pelo vagaroso processo da evolução biológica, que foi desde os organismos mais simples a seres capazes de medir o tempo a partir do Big Bang.

Poucas pessoas questionariam a validade ou utilidade do princípio antrópico fraco. Alguns, no entanto, vão muito além e propõem uma versão forte. Segundo essa teoria, existem muitos universos diferentes ou muitas regiões diferentes de um único universo, cada um com sua própria configuração inicial e, talvez, seu próprio conjunto de leis científicas. Na maioria desses universos, as condições não seriam apropriadas para o desenvolvimento de organismos complexos; apenas nos universos que são como o nosso seres inteligentes poderiam se desenvolver e fazer a pergunta "Por que o universo é da maneira como o vemos?". A resposta, nesse caso, é simples: se ele tivesse sido diferente, não estaríamos aqui!

As leis da ciência, como as conhecemos hoje, compreendem muitas grandezas fundamentais, como a magnitude da carga elétrica do elétron e a razão entre as massas do próton e do elétron. Não somos capazes, pelo menos no momento, de prever os valores dessas quantidades a partir da teoria — temos de descobri-los por observação. Pode ocorrer de um dia descobrirmos uma teoria unificada completa que preveja todas essas grandezas, mas também é possível que algumas ou todas elas variem de um universo para o outro ou dentro de um único universo. O fato notável é que os valores dessas quantidades parecem ter sido muito bem ajustados para possibilitar o desenvolvimento da vida. Por exemplo, se a carga do elétron fosse apenas ligeiramente diferente, as estrelas teriam sido incapazes de queimar hidrogênio e hélio e explodir. Claro, podem existir outras formas de vida inteligente, inconcebíveis até pelos escritores de ficção científica, que não necessitem da luz de uma estrela como o Sol ou dos elementos químicos mais pesados formados nas estrelas e ejetados de volta para o espaço quando estas explodem. Não obstante, sem dúvida parece haver relativamente poucos valores possíveis para os números que permitem o desenvolvimento de alguma forma de vida inteligente. A maioria dos conjuntos de valores daria origem a universos que, embora possam parecer muito belos, não conteriam ninguém capaz de admirar tal beleza. Podemos tomar isso como evidência de um propósito divino na Criação e na escolha das leis da ciência ou como um argumento do princípio antrópico forte.

Podemos fazer uma série de objeções ao princípio antrópico forte como explicação do estado observável do universo. Primeiro, em que sentido podemos dizer que todos esses universos diferentes existem? Se eles são de fato separados uns dos outros, o que acontece em outro universo não pode ter consequências observáveis no nosso. Portanto, deveríamos usar o princípio da economia e eliminá-los da teoria. Se, por outro lado, eles são apenas regiões de um único universo, as leis da ciência teriam de ser as mesmas em cada região, pois, do contrário, seria impossível se deslocar de uma região para a outra. Nesse caso, as únicas diferenças entre as regiões seriam suas configurações iniciais, e, desse modo, o princípio antrópico forte se reduziria ao fraco.

Uma segunda objeção ao princípio antrópico forte é que ele vai contra a maré de toda a história da ciência. Passamos das cosmologias geocêntricas de Ptolomeu e seus antepassados, atravessando a cosmologia heliocêntrica de Copérnico e Galileu, para o cenário moderno em que a Terra é um planeta de tamanho médio orbitando uma estrela mediana na periferia de uma galáxia espiral comum, que, por sua vez, é apenas uma entre milhões de milhões de galáxias no universo observável. No entanto, o princípio antrópico forte alegaria que toda essa vasta construção existe única e exclusivamente por nossa causa. Isso é muito difícil de acreditar. O Sistema Solar é sem dúvida um pré-requisito para nossa existência, e poderíamos extrapolar isso para a totalidade da galáxia em que nos encontramos a fim de levar em conta uma geração anterior de estrelas que criou os elementos mais pesados. Contudo, parece não haver necessidade alguma para todas aquelas outras galáxias, tampouco para que o universo seja tão uniforme e semelhante em todas as direções em grande escala.

Ficaríamos mais satisfeitos com o princípio antrópico, pelo menos em sua versão fraca, se pudéssemos demonstrar que um grande número de diferentes configurações iniciais do universo teria evoluído para gerar um universo como o que observamos. Se esse é o caso, um universo que se desenvolveu com base em algum tipo de condição inicial aleatória deve conter várias regiões regulares e uniformes, apropriadas para a evolução da vida inteligente. Por outro lado, se o estado inicial do universo teve de ser escolhido com extremo cuidado para levar a algo como o que vemos à nossa volta, dificilmente o universo conteria alguma região onde a vida pudesse aparecer. No modelo de Big Bang quente, não havia tempo suficiente no universo primitivo para que o calor tivesse fluído de uma região para outra. Isso significa que o estado inicial do universo deveria ter tido exatamente a mesma temperatura por toda parte para explicar o fato de que a radiação cósmica de fundo em micro-ondas apresenta hoje a mesma temperatura em qualquer direção que olhemos. A taxa de expansão inicial também precisaria ter sido escolhida com muita precisão para que a atual continuasse tão próxima da taxa crítica necessária para evitar um novo colapso. Isso significa que, de fato, o estado inicial do universo deve ter sido escolhido com muito cuidado caso o modelo do Big Bang quente esteja correto até o início do tempo. Seria muito difícil explicar por que o universo deve ter começado exatamente dessa forma, a não ser como um ato divino com o intuito de criar seres como nós.

Em uma tentativa de encontrar um modelo para o universo no qual muitas configurações iniciais diferentes poderiam ter evoluído para algo como o universo atual, um cientista do Instituto de Tecnologia de Massachusetts (MIT), Alan Guth, sugeriu que o universo primitivo talvez tenha passado por um período de expansão muito rápida. Afirma-se que essa expansão é "inflacionária", ou seja, que o universo a certa altura expandiu-se a uma taxa acelerada, em vez de a uma taxa desacelerada, como é o caso hoje.* Segundo Guth, o

---

* Na verdade, em 1998, para surpresa geral, descobriu-se, com base nas observações de supernovas distantes, que o universo se encontra atualmente em expansão acelerada. Esse achado rendeu o Prêmio Nobel de física de 2011 para seus principais responsáveis, Saul Perlmutter, Brian P. Schmidt e Adam G. Riess. (N. do R.T.)

raio do universo aumentou um milhão de milhões de milhões de milhões de milhões (1 seguido de trinta zeros) de vezes em apenas uma minúscula fração de segundo.

Guth sugeriu que o universo começou a partir do Big Bang em um estado muito quente, porém caótico. Essas temperaturas elevadas teriam significado que as partículas no universo estariam se movendo muito rápido, com energias elevadas. Como discutimos antes, poderíamos esperar que, a temperaturas elevadas, as forças nucleares forte e fraca e a força eletromagnética se unificassem em uma única força. À medida que o universo se expandisse, ele resfriaria, e a energia das partículas diminuiria. Em algum momento, haveria o que chamamos de uma transição de fase, e a simetria entre as forças seria quebrada: a força forte se tornaria diferente das forças fraca e eletromagnética. Um exemplo comum de transição de fase é o congelamento da água quando resfriada. No estado líquido, ela é simétrica, igual em todos os pontos e em todas as direções. Contudo, quando cristais de gelo se formam, eles têm posições definidas e ficam alinhados em determinada direção. Isso rompe com a simetria da água.

No caso da água, se procedemos com cuidado, podemos deixá-la “super-resfriada”: ou seja, podemos diminuir a temperatura abaixo do ponto de congelamento (0°C) sem formar gelo. Guth sugeriu que o universo talvez se comporte de forma semelhante: a temperatura poderia descer abaixo do valor crítico sem que a simetria entre as forças fosse quebrada. Caso isso acontecesse, o universo ficaria instável, com mais energia do que se a simetria tivesse sido quebrada. É possível demonstrar que essa energia extra especial exerceria um efeito antigravitacional: ela agiria exatamente como a constante cosmológica que Einstein introduziu na relatividade geral quando tentava construir um modelo estático do universo. Uma vez que o universo já estaria se expandindo exatamente como no modelo do Big Bang quente, o efeito repulsivo dessa constante cosmológica teria feito com que o universo se expandisse a uma velocidade cada vez maior. Mesmo em regiões onde havia mais partículas de matéria do que a média, a atração gravitacional da matéria teria sido suplantada pela repulsão da constante cosmológica em ação. Desse modo, essas regiões também se expandiriam de forma inflacionária acelerada. À medida que se expandissem e as partículas de matéria se distanciassem, teríamos um universo em expansão que quase não conteria partículas e continuaria em estado super-resfriado. Quaisquer irregularidades no universo simplesmente teriam sido igualadas pela expansão, assim como as pregas em um balão são alisadas quando o enchemos. Desse modo, o atual estado liso e uniforme do universo poderia ter evoluído de diferentes estados iniciais não uniformes.

Nesse universo, onde a expansão foi acelerada por uma constante cosmológica, e não desacelerado pela atração gravitacional da matéria, haveria tempo suficiente para que a luz viajasse de uma região a outra no universo primitivo. Isso pode esclarecer por que regiões diferentes no universo primitivo têm as mesmas propriedades. Além do mais, a taxa de expansão do universo automaticamente se aproximaria da taxa crítica determinada pela densidade de energia do universo. Isso então poderia explicar por que a taxa de expansão continua tão próxima da taxa crítica sem precisarmos admitir que a taxa de expansão inicial do universo foi escolhida com muito cuidado.

A ideia de inflação também pode explicar por que há tanta matéria no universo. Há algo como dez milhões de milhões de milhões de milhões de milhões de milhões de milhões de milhões de milhões de milhões de milhões de milhões de milhões de milhões de milhões (1 seguido de 85 zeros) de partículas na região do universo observável. De onde todas elas vieram? A resposta é que, na teoria quântica, as partículas podem ser criadas da energia, na forma de pares de partícula/antipartícula. Mas isso apenas nos leva a perguntar de onde veio a energia. A resposta é que a energia total do universo é exatamente zero. A matéria no universo é feita de energia positiva. Entretanto, toda a matéria que existe se atrai mutuamente pela ação da gravidade. Dois pedaços de matéria próximos um do outro têm menos energia do que os mesmos dois pedaços afastados a uma grande distância, pois é preciso gastar energia para separá-los contra a força gravitacional que os está atraindo. Assim, em certo sentido, o campo gravitacional possui energia negativa. No caso de um universo mais ou menos uniforme no espaço, podemos demonstrar que essa energia gravitacional negativa anula a energia positiva representada pela matéria. Assim, a energia total do universo é zero.

Ora, zero vezes dois também é zero. Assim, o universo pode duplicar a quantidade da energia de matéria positiva e também duplicar a energia gravitacional negativa sem violar a lei da conservação de energia. Isso não ocorre na expansão normal do universo, na qual a densidade de energia da matéria diminui à medida que o universo aumenta. Porém ocorre na expansão inflacionária, pois a densidade de energia do estado super-resfriado permanece constante, ao passo que o universo está em expansão: quando o universo dobra de tamanho, a energia de matéria positiva e a energia gravitacional negativa também duplicam, de modo que a energia total permanece zero. Durante a fase inflacionária, o universo aumenta muito de tamanho. Assim, a quantidade total de energia disponível para fazer partículas também aumenta muito. Como Guth observou, "dizem que não existe almoço grátis. Mas o universo é o mestre do almoço grátis".

O universo não está se expandindo de forma inflacionária atualmente. Assim, deve haver algum mecanismo que anula a vasta eficácia da constante cosmológica e, desse modo, alteraria a velocidade de expansão acelerada pela gravidade para a desacelerada pela gravidade, como é o caso hoje.* Na expansão inflacionária, seria de se

* Com a descoberta da expansão acelerada do universo em 1998 (ver nota na p. 160), a constante cosmológica retornou à cosmologia do universo presente, incluindo sua forma mais geral de energia escura, da qual a constante cosmológica original de Einstein é um caso particular. (N. do R.T.)

esperar que, em algum momento, a simetria entre as forças se rompesse, assim como a água super-resfriada sempre acaba congelando. Então a energia extra do estado simétrico não rompido seria liberada e reaqueceria o universo a um nível pouco abaixo da temperatura crítica para a simetria entre as forças. O universo se expandiria e resfriaria exatamente como no modelo do Big Bang quente, mas haveria agora uma explicação para o universo se expandir exatamente à taxa crítica e para diferentes regiões terem a mesma temperatura.

Na proposição original de Guth, supunha-se que a transição de fase ocorresse de repente, mais ou menos como o aparecimento de cristais de gelo na água muito gelada. A ideia era de que "bolhas" da nova fase de simetria rompida teriam se formado na fase antiga, como bolhas de vapor cercadas pela água fervente. As bolhas deveriam se expandir e entrar em contato umas com as outras até que todo o universo entrasse na fase nova. O problema, como eu e diversas outras pessoas apontamos, era que o universo estava se expandindo tão rápido que, mesmo se as bolhas crescessem na velocidade da luz, elas se afastariam umas das outras e não poderiam se juntar. O universo ficaria em um estado muito não uniforme, com algumas regiões ainda tendo simetria entre as diferentes forças. Tal modelo do universo não corresponderia ao que vemos.

Em outubro de 1981, viajei a Moscou para uma conferência sobre gravidade quântica. Após o evento, fui ao Instituto Astronômico Sternberg e dei uma palestra sobre o modelo inflacionário e seus problemas. Antes disso, eu providenciava outra pessoa para dar palestras em meu nome, pois a maioria das pessoas não entendia minha voz. No entanto, não tive tempo para me preparar nessa ocasião, então eu mesmo apresentei, enquanto um dos meus alunos de pós-graduação repetia minhas palavras. O esquema funcionou e me proporcionou um contato muito maior com o público. Lá havia um jovem russo, Andrei Linde, do Instituto Lebedev, em Moscou. Ele afirmou que seria possível evitar o problema de as bolhas não se juntarem se elas fossem tão grandes que nossa região do universo estivesse contida dentro de uma única bolha. Para que isso funcione, a mudança da simetria para a simetria rompida deve ter ocorrido muito devagar dentro da bolha, mas é algo totalmente possível no contexto das GUTs. A ideia de Linde de um rompimento lento da simetria era muito boa, mas depois percebi que suas bolhas precisariam ter sido maiores do que o universo na época! Demonstrei que, em vez disso, a simetria teria se rompido por toda parte na mesma época, não apenas dentro das bolhas. Isso levaria a um universo uniforme, como o que observamos. Fiquei muito empolgado com a ideia e a discuti com um de meus alunos, Ian Moss. Porém, por ser amigo de Linde, fiquei bastante constrangido quando, mais tarde, um periódico científico me enviou o artigo dele, perguntando se era adequado para publicação. Respondi que havia essa falha das bolhas maiores do que o universo, mas que a ideia básica de um rompimento lento da simetria era muito boa. Recomendei que o artigo fosse publicado como estava porque Linde levaria muitos meses para corrigi-lo, uma vez que qualquer coisa que mandasse para o Ocidente teria de passar pela censura soviética, que não era muito hábil nem muito sagaz com artigos científicos. Em vez disso, escrevi um curto artigo com Ian Moss na mesma publicação no qual apontávamos esse problema com a bolha e mostrávamos como resolvê-lo.

Um dia depois de voltar de Moscou, fui para a Filadélfia, onde receberia uma medalha do Instituto Franklin. Minha secretária, Judy Fella, se valera de seu considerável charme para convencer a British Airways a reservar lugares para ela e para mim de graça em um Concorde, como um lance publicitário. No entanto, fiquei preso no caminho para o aeroporto devido a uma forte chuva e acabei perdendo o voo. Mesmo assim, fui depois para a Filadélfia e recebi minha medalha. Convidaram-me, então, para dar uma palestra sobre o universo inflacionário na Universidade Drexel. Dei a mesma palestra sobre os problemas do universo inflacionário que apresentara em Moscou.

Meses mais tarde, Paul Steinhardt e Andreas Albrecht, da Universidade da Pensilvânia, apresentaram uma ideia muito semelhante à de Linde de forma independente. Hoje eles recebem o crédito junto com Linde pelo que é chamado de "novo modelo inflacionário", baseado na ideia de uma ruptura lenta da simetria. (O antigo modelo inflacionário foi a sugestão original de Guth de que ocorre um rompimento rápido da simetria com a formação de bolhas.)

O novo modelo inflacionário foi uma boa tentativa de explicar por que o universo é como é. Entretanto, eu e diversas outras pessoas demonstramos que, pelo menos em sua forma original, ele previa variações muito maiores na temperatura da radiação cósmica de fundo em micro-ondas do que as observadas. Um trabalho posterior também lançou dúvida quanto à possibilidade de ter ocorrido no universo muito primitivo uma transição de fase do tipo exigido. Na minha opinião, o novo modelo inflacionário morreu como teoria científica, embora muitas pessoas aparentemente não tenham ouvido falar de seu falecimento e continuem escrevendo artigos como se ele fosse viável. Em 1983, Linde apresentou um modelo melhor, chamado modelo inflacionário caótico. Nele, não há transição de fase ou super-resfriamento. Em vez disso, há um campo de *spin* 0, que, devido às flutuações quânticas, teria valores elevados em algumas regiões do universo. Nessas regiões, a energia do campo se comportaria como uma constante cosmológica. Teria um efeito gravitacional repulsivo e, assim, faria com que essas regiões se expandissem de maneira inflacionária. À medida que se expandissem, a energia do campo nelas decresceria lentamente até que a expansão inflacionária mudasse para uma expansão como a do modelo do Big Bang quente. Uma dessas regiões se tornaria o que hoje entendemos por universo observável. Esse modelo tem todas as vantagens dos modelos inflacionários anteriores, mas não depende de uma duvidosa transição de fase e pode, além do mais, proporcionar uma amplitude razoável para as flutuações na temperatura da radiação cósmica de fundo que esteja de acordo com a observação.

Esse trabalho com modelos inflacionários mostrou que o estado atual do universo pode ter surgido de uma enorme variedade de configurações iniciais. Isso é importante, pois revela que o estado inicial da parte que habitamos do universo não teve de ser escolhido com grande cuidado. Assim, se quisermos, podemos usar o princípio antrópico fraco para explicar por que o universo tem sua aparência atual. Não pode ser o caso, entretanto, de que qualquer configuração inicial teria levado a um universo como o que observamos. Isso pode ser demonstrado se considerarmos um estado muito diferente para o universo atual, digamos, um universo muito inomogêneo e irregular. Poderíamos usar as leis da ciência para desenvolver o universo retrocedendo no tempo a fim de determinar sua configuração em épocas primitivas. Segundo os teoremas da singularidade na relatividade geral clássica, ainda assim teria havido uma singularidade de Big Bang. Se fizermos um universo desse tipo avançar no tempo segundo as leis da ciência, terminaremos com o estado irregular e inomogêneo em que começamos. Assim, deve ter havido configurações iniciais que não dariam origem a um universo como o que vemos hoje. Portanto, nem mesmo o modelo inflacionário nos informa por que a configuração inicial não ocorreu de maneira a produzir algo muito diferente do que observamos. Será que devemos recorrer ao princípio antrópico para uma explicação? Terá sido tudo fruto do acaso? Essa pareceria uma causa perdida, uma negação de todas as nossas esperanças de compreender a ordem subjacente do universo.

A fim de prever como o universo deve ter começado, precisamos de leis que sejam válidas no início do tempo. Se a teoria clássica da relatividade geral estava correta, os teoremas da singularidade que Roger Penrose e eu demonstramos revelam que o início do tempo teria sido um ponto de densidade e curvatura do espaço-tempo infinitas. Todas as leis conhecidas da ciência deixariam de vigorar nesse momento. Poderíamos supor que houvesse leis válidas nas singularidades, mas seria muito difícil sequer formular tais leis em momentos de comportamento tão ruim, e não disporíamos de qualquer observação para nos ajudar a determinar que leis seriam essas. Contudo, o que os teoremas da singularidade de fato indicam é que o campo gravitacional se torna tão forte que os efeitos gravitacionais quânticos passam a ser importantes: a teoria clássica deixa de fornecer uma boa descrição do universo. Assim, devemos usar uma teoria da gravitação quântica para discutir os estágios mais primitivos do universo. Como veremos, é possível, de acordo com a teoria quântica, que as leis comuns da ciência sejam válidas em toda parte, incluindo o começo do tempo: não é necessário postular novas leis para singularidades, pois não é preciso haver singularidades na teoria quântica.

Ainda não dispomos de uma teoria completa e consistente que combine a mecânica quântica e a gravitação. No entanto, conhecemos com razoável dose de certeza algumas particularidades que uma teoria unificada como essa deve apresentar. Uma delas é que deve incorporar a proposição de Feynman de se formular a teoria quântica como uma soma das histórias. Nessa abordagem, uma partícula não possui uma única história, como seria na teoria clássica. Em vez disso, supõe-se que siga todos os caminhos possíveis no espaço-tempo, e cada uma dessas histórias está associada a um par de números: um que representa o tamanho de uma onda e o outro, sua posição no ciclo (sua fase). A probabilidade de que a partícula, digamos, passe por um ponto específico é encontrada somando-se as ondas associadas com cada história possível que passe por esse ponto. Contudo, quando tentamos efetuar essas somas, deparamos com graves problemas técnicos. A única maneira de contorná-los é seguindo uma prescrição peculiar: devemos somar as ondas para as histórias de partículas que não estão no tempo "real" que você e eu vivenciamos, mas que ocorrem no que chamamos de tempo imaginário. O tempo imaginário talvez soe como ficção científica, mas é, na verdade, um conceito matemático bem definido. Se tomamos qualquer número comum (ou "real") e o multiplicamos por ele mesmo, o resultado é um número positivo. (Por exemplo, 2 vezes 2 é igual a 4, mas –2 vezes –2 também é.) Existem, porém, números especiais (chamados imaginários) que resultam em números negativos quando multiplicados por si mesmos. (O que chamamos i, quando multiplicado por si mesmo, dá –1; 2i multiplicado por si mesmo dá –4, e assim por diante.)

Podemos imaginar números reais e imaginários da seguinte forma: representamos os números reais por uma linha que vai da esquerda para a direita, com o zero no meio, números negativos como –1, 2 etc. do lado esquerdo e números positivos, 1, 2 etc., do lado direito. Então representamos números imaginários por uma linha que vai de cima a baixo na folha, com i, 2i etc. acima do meio e –i, –2i etc. abaixo. Desse modo, em certo sentido, os números imaginários estão em ângulo reto com os números reais comuns.

Para evitar as dificuldades técnicas com a soma das histórias de Feynman, devemos usar o tempo imaginário. Ou seja: para fins de cálculo, devemos medir o tempo usando números imaginários, e não reais. Isso tem um efeito interessante no espaço-tempo: a distinção entre tempo e espaço desaparece por completo. Dizemos que um espaço-tempo no qual os eventos têm os valores imaginários da coordenada de tempo é euclidiano, em homenagem ao grego Euclides, que fundou o estudo da geometria de superfícies bidimensionais. O que hoje chamamos de espaço-tempo euclidiano é muito parecido, com o detalhe de que ele tem quatro dimensões, não duas. No espaço-tempo euclidiano, não há diferença entre a direção no tempo e as direções no espaço. Por outro lado, no espaço-tempo real, em que os eventos são classificados por valores comuns, reais, da coordenada do tempo, é fácil perceber a diferença — a direção do tempo em todos os pontos reside dentro do cone de luz, e direções do espaço, fora. Em todo caso, no que diz respeito à mecânica quântica do dia a dia, podemos encarar nosso uso do tempo imaginário e do espaço-tempo euclidiano como um mero artifício (ou truque) matemático para calcular respostas sobre o espaço-tempo real.

Uma segunda característica que para nós deve fazer parte de qualquer teoria final é a ideia de Einstein de que o campo gravitacional é representado pelo espaço-tempo curvo: as partículas tentam seguir a trajetória mais retilínea possível em um espaço curvo, porém, como o espaço-tempo não é plano, suas trajetórias parecem curvadas, como que devido a um campo gravitacional. Quando aplicamos a soma das histórias de Feynman à visão da gravidade de Einstein, o análogo da história de uma partícula passa a ser um espaço-tempo curvo completo que representa a história de todo o universo. Para evitar as dificuldades técnicas de realizar a soma das histórias, esses espaços-tempos curvos devem ser considerados euclidianos. Ou seja, o tempo é imaginário e indistinguível das direções no espaço. Para calcular a probabilidade de encontrar um espaço-tempo real com determinada propriedade, como a de parecer o mesmo de qualquer ponto e em qualquer direção, somamos as ondas associadas a todas as histórias que têm essa propriedade.

Na teoria clássica da relatividade geral, há muitos espaços-tempos curvos possíveis, cada um correspondendo a um estado inicial diferente do universo. Se soubéssemos o estado inicial de nosso universo, conheceríamos toda a sua história. Do mesmo modo, na teoria da gravitação quântica, há muitos estados quânticos possíveis para o universo. Outra vez, se soubéssemos como os espaços-tempos curvos euclidianos na soma das histórias se comportaram em tempos primitivos, conheceríamos o estado quântico do universo.

Na teoria clássica da gravitação, que se baseia no espaço-tempo real, há apenas dois modos como o universo pode se comportar: ou ele existiu por um tempo infinito ou teve início em uma singularidade em algum momento finito no passado. A teoria da gravitação quântica surge uma terceira possibilidade. Como estamos usando espaços-tempos euclidianos, nos quais a direção do tempo está em pé de igualdade com as direções no espaço, é possível que o espaço-tempo tenha extensão finita, mas não apresente quaisquer singularidades formadoras de um contorno ou borda. O espaço-tempo seria como a superfície da Terra, apenas com duas dimensões a mais. A superfície do nosso planeta é finita em extensão, mas não possui um contorno ou borda: se você sair navegando ao pôr do sol, não cairá pela beirada nem encontrará uma singularidade. (Sei disso porque já dei a volta ao mundo!)

Quer o espaço-tempo euclidiano se estenda até o tempo imaginário infinito ou comece em uma singularidade em um tempo imaginário, enfrentamos o mesmo problema da teoria clássica para descrever o estado inicial do universo: Deus talvez saiba como o universo começou, mas não conseguimos conceber qualquer motivo específico para imaginarmos que tenha começado de um jeito e não de outro. Contudo, a teoria da gravitação quântica descortinou uma nova possibilidade, na qual não haveria contorno ou limite para o espaço-tempo e, assim, não haveria necessidade de descrever o comportamento no contorno. Não existiriam singularidades nas quais as leis da ciência deixassem de vigorar ou borda do espaço-tempo em que teríamos de apelar a Deus ou alguma nova lei para estabelecer as condições de contorno do espaço-tempo. Seria possível dizer: "A condição de contorno do universo é que ele não possui contorno." O universo seria completamente encerrado em si mesmo e não poderia ser afetado por nenhum fator externo. Não seria criado nem destruído. Apenas SERIA.

Foi naquela conferência no Vaticano que apresentei pela primeira vez a sugestão de que talvez o tempo e o espaço juntos formassem uma superfície que fosse finita em tamanho, mas não tivesse contorno ou borda. No entanto, meu artigo era, acima de tudo, matemático, de modo que suas implicações para o papel de Deus na criação do universo não foram compreendidas por todos (felizmente para mim). Na época da conferência no Vaticano, eu não sabia como usar a ideia de "sem-contorno" para fazer previsões acerca do universo. Entretanto, passei o verão seguinte na Universidade da Califórnia, em Santa Bárbara. Ali, um amigo e colega, Jim Hartle, elaborou comigo quais condições o universo deverá satisfazer se o espaço-tempo não tiver contorno. Quando voltei a Cambridge, dei continuidade a esse trabalho com dois alunos meus, Julian Luttrel e Jonathan Halliwell.

Gostaria de enfatizar que essa ideia de que o tempo e o espaço devem ser finitos e "sem-contorno" é apenas uma *proposição*: não pode ser deduzida de outro princípio. Como qualquer outra teoria científica, pode a princípio ser aventada por motivos estéticos ou metafísicos, mas o verdadeiro teste é se ela faz previsões que coincidem com a observação. Isso, no entanto, é difícil de determinar no caso da gravidade quântica por duas razões. Primeiro, como explicarei no Capítulo 11, ainda não temos certeza de qual teoria consegue combinar a relatividade geral e a mecânica quântica, embora saibamos bastante sobre a forma que uma teoria assim deve ter. Segundo, qualquer modelo que descreva todo o universo em detalhes será matematicamente complicado demais para sermos capazes de extrair previsões exatas com base em nossos cálculos. Logo, temos de fazer conjecturas e aproximações simplificadoras — e, ainda assim, o problema de fazer previsões permanece uma tarefa formidável.

Cada história na soma das histórias descreverá não apenas o espaço-tempo, mas também tudo o que há nele, incluindo organismos complexos, como seres humanos, capazes de observar a história do universo. Isso pode fornecer outra justificativa para o princípio antrópico, pois, se todas as histórias são possíveis, então, contanto que existamos em uma delas, podemos usar o princípio antrópico para explicar por que descobrimos que o universo é da forma que é. Não está claro qual significado pode ser atribuído às histórias em que não existimos. Porém, essa visão de teoria da gravitação quântica seria muito mais satisfatória se pudéssemos demonstrar que, usando a soma das histórias, nosso universo não é apenas uma das histórias possíveis, mas também uma das mais prováveis. Para fazer isso, devemos realizar a soma das histórias para todos os espaços-tempos euclidianos possíveis que não possuem contorno.

Sob a proposição de "sem-contorno", descobrimos que a chance de provarmos que o universo segue a maioria das histórias possíveis é desprezível, mas há um gênero de histórias em particular muito mais provável do que os outros. Podemos imaginar essas histórias como análogas à superfície da Terra, com a distância a partir do polo norte representando o tempo imaginário e a medida de um círculo de distância constante a partir do polo norte representando o tamanho espacial do universo. O universo começa no polo norte como um único ponto. À medida que a pessoa se desloca para o sul, os círculos de latitude a uma distância constante do polo norte ficam maiores, o que corresponde ao universo se expandindo com o tempo imaginário [Figura 8.1]. O universo atingiria um tamanho máximo no equador e se contrairia com tempo imaginário crescente até se tornar um único ponto no polo sul. Mesmo que o universo tivesse tamanho zero nos polos norte e sul, esses pontos não seriam singularidades, assim como os polos norte e sul na Terra não são singulares. As leis da ciência serão válidas neles, tal como ocorre nos nossos polos.

No entanto, a história do universo em tempo real pareceria muito diferente. Cerca de dez ou vinte bilhões de anos atrás, ele teria um tamanho mínimo, igual ao raio máximo da história no tempo imaginário. Em tempos reais posteriores, o universo se expandiria como o modelo inflacionário caótico proposto por Linde (mas hoje não teríamos de presumir que, de algum modo, o universo foi criado no tipo de estado correto). O universo se expandiria para um tamanho muito grande [Figura 8.1] e acabaria por entrar em colapso outra vez com o aspecto de uma singularidade no tempo real. Assim, de certa forma, continuaríamos todos condenados, mesmo se ficássemos longe de buracos negros. Só não haveria singularidades se pudéssemos conceber o universo em termos de tempo imaginário.

Se o universo de fato se encontra em tal estado quântico, não há singularidades na história do universo no tempo imaginário. Pode parecer, portanto, que meu trabalho mais recente desfez por completo os resultados de meu trabalho anterior sobre singularidades.

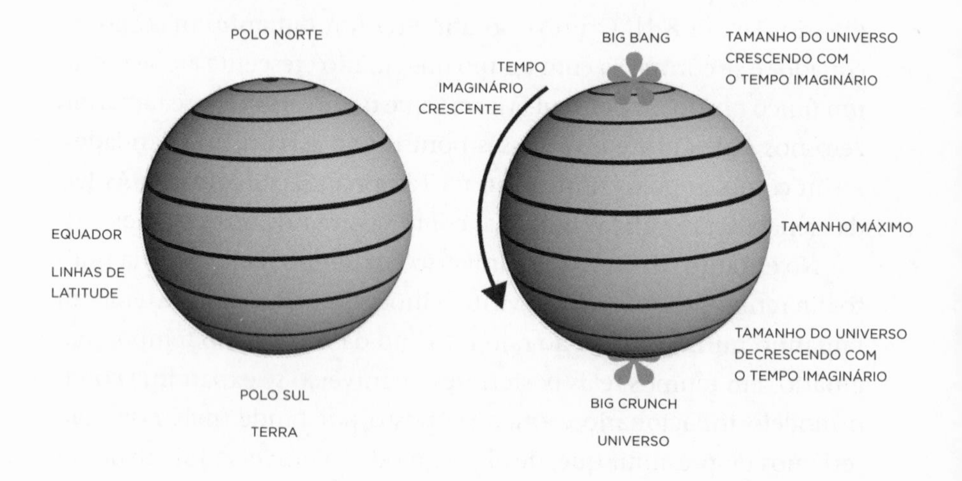
POLO NORTE
EQUADOR
LINHAS DE LATITUDE
POLO SUL
TERRA
TEMPO IMAGINÁRIO CRESCENTE
BIG BANG
TAMANHO DO UNIVERSO CRESCENDO COM O TEMPO IMAGINÁRIO
TAMANHO MÁXIMO
TAMANHO DO UNIVERSO DECRESCENDO COM O TEMPO IMAGINÁRIO
BIG CRUNCH
UNIVERSO

FIGURA 8.1

Entretanto, como já indiquei, a verdadeira importância dos teoremas da singularidade foi mostrar que o campo gravitacional deve se tornar tão forte que os efeitos gravitacionais quânticos não podem ser ignorados. Isso, por sua vez, levou à ideia de que o universo pode ser finito no tempo imaginário, mas sem contornos ou singularidades. Porém, quando voltamos ao tempo real em que vivemos, as singularidades parecem ainda ocorrer. O pobre astronauta que cai em um buraco negro ainda terá um fim desagradável; ele só não encontraria singularidades se vivesse no tempo imaginário.

Talvez isso sugira que o suposto tempo imaginário é, na verdade, o tempo real e que o que chamamos de tempo real é apenas fruto de nossa imaginação. No tempo real, o universo tem início e fim em singularidades que formam um contorno para o espaço-tempo e nas quais as leis da ciência perdem a validade. Mas, no tempo imaginário, não há singularidades ou contornos. Assim, talvez o que chamamos de tempo imaginário seja na verdade mais elementar e o que chamamos de tempo real seja apenas uma ideia que inventamos para ajudar a descrever o que acreditamos ser a natureza do universo. Contudo, segundo a abordagem que apresentei no Capítulo 1, uma teoria científica não passa de um modelo matemático que concebemos para descrever nossas observações: ela existe apenas em nossa mente. Desse modo, não faz sentido perguntar: "Qual deles é real: o tempo 'real' ou o tempo 'imaginário'?" É simplesmente uma questão de determinar qual descrição tem mais utilidade.

Podemos, além disso, usar a soma das histórias, combinada à proposição sem-contorno, para descobrir quais propriedades do universo têm mais chances de ocorrer juntas. Por exemplo, podemos calcular a probabilidade de que o universo esteja se expandindo aproximadamente à mesma velocidade em todas as direções em um momento no qual a densidade do universo tenha o valor atual. Nos modelos simplificados examinados até aqui, essa probabilidade se revela alta — ou seja, a condição sem-contorno proposta leva à previsão de que é muito provável que a atual taxa de expansão do universo seja quase a mesma em todas as direções. Isso coincide com as observações da radiação cósmica de fundo em micro-ondas, nas quais ela apresenta quase exatamente a mesma intensidade em qualquer direção. Se o universo estivesse se expandindo mais rápido em algumas direções do que em outras, a intensidade da radiação nessas direções seria reduzida por um desvio adicional para o vermelho.

Hoje novas previsões da condição sem-contorno estão sendo elaboradas. Um problema particularmente interessante é em qual grau ocorreram os pequenos afastamentos da densidade uniforme no universo primitivo, que ocasionaram a formação primeiro das galáxias, depois das estrelas e, por fim, de seres humanos. O princípio da incerteza sugere que o universo primitivo não pode ter sido completamente uniforme porque deve ter havido algumas incertezas ou flutuações nas posições e velocidades das partículas. Usando a condição sem-contorno, descobrimos que o universo deve, de fato, ter começado com apenas a mínima não uniformidade possível permitida pelo princípio da incerteza. O universo teria, então, passado por um período de rápida expansão, como nos modelos inflacionários. Durante esse período, as não uniformidades iniciais teriam se amplificado até que fossem grandes o bastante para explicar a origem das estruturas que observamos à nossa volta. Em 1992, o satélite Cobe detectou pela primeira vez variações muito sutis na intensidade da radiação cósmica de fundo de acordo com a direção. O modo como essas não uniformidades dependem de direção parece estar de acordo com as previsões do modelo inflacionário e da proposição sem-contorno. Assim, a proposição sem-contorno é uma boa teoria científica tal como definiu Karl Popper: ela poderia ter sido falseada pelas observações, mas, em vez disso, suas previsões têm se confirmado. Em um universo em expansão no qual a densidade da matéria variasse ligeiramente de um lugar para outro, a gravidade teria feito com que as regiões mais densas desacelerassem a expansão e começassem a se contrair. Isso teria levado à formação de galáxias, estrelas e, no fim, até de criaturas insignificantes como nós. Desse modo, todas as estruturas complexas que vemos no universo podem ser explicadas pela condição sem-contorno para o universo em conjunto com o princípio da incerteza da mecânica quântica.

A ideia de que o espaço e o tempo talvez componham uma superfície fechada e sem contorno acarreta também profundas implicações para o papel divino nos assuntos do universo. Com o êxito das teorias científicas em descrever os eventos, a maioria das pessoas passou a acreditar que Deus permite ao universo evoluir de acordo com uma série de leis e que ele não intervém para violá-las. Contudo, as leis não nos dizem como devia ser o aspecto do universo no início — ainda teria cabido a Ele dar corda no relógio e decidir como pô-lo em funcionamento. Contanto que o universo tenha tido um início, podemos supor que houve um criador. Mas, se o universo fosse de fato absolutamente contido em si mesmo, sem contorno nem borda, ele não teria início nem fim: ele simplesmente seria. Nesse caso, qual é o papel de um criador?

9

A SETA DO TEMPO

NOS CAPÍTULOS ANTERIORES, VIMOS COMO NOSSOS CONCEITOS sobre a natureza do tempo mudaram ao longo dos anos. Até o início do século passado, as pessoas acreditavam em um tempo absoluto. Ou seja, era possível classificar qualquer evento por uma grandeza chamada "tempo" de maneira única, e todo bom relógio estaria de acordo quanto ao intervalo de tempo entre dois eventos. No entanto, a descoberta de que a velocidade da luz parecia ser a mesma para qualquer observador, a despeito de como ele estivesse se movendo, levou à teoria da relatividade — e, baseados nela, tivemos de abandonar a ideia de que havia um tempo único e absoluto. Em vez disso, cada observador teria sua própria medida de tempo, conforme o relógio que ele carregasse: relógios portados por observadores diferentes não necessariamente coincidiriam. Assim, o tempo se tornou um conceito mais pessoal, relacionado ao observador que o media.

Quando se tentou unificar a gravitação com a mecânica quântica, foi necessário introduzir a ideia de tempo "imaginário". O tempo imaginário é indistinguível das direções no espaço. Se podemos ir para o norte, podemos dar meia-volta e ir para o sul; da mesma forma, se podemos avançar no tempo imaginário, devemos ser capazes de nos virar e retroceder. Isso significa que não pode haver diferença importante entre ir para a frente e para trás no tempo imaginário. Em contrapartida, quando se olha para o tempo "real", há uma grande diferença entre essas direções, como todo mundo sabe. De onde vem essa diferença entre passado e futuro? Por que nos lembramos do passado, mas não do futuro?

As leis da ciência não fazem distinção entre o passado e o futuro. Mais precisamente, como já expliquei, as leis da ciência são imutáveis sob a combinação de operações (ou simetrias) conhecidas como C, P e T. (C significa trocar as partículas pelas antipartículas. P significa adotar a imagem espelhada, ou seja, permutar a esquerda e a direita. E T significa reverter a direção do movimento de todas as partículas: em essência, fazer o movimento retroceder.) As leis da ciência que governam o comportamento da matéria em todas as situações normais são imutáveis sob a combinação das operações C e P. Em outras palavras, a vida seria exatamente a mesma para os habitantes de outro planeta que fossem tanto imagens espelhadas de nós como feitos de antimatéria, e não de matéria.

Se as leis da ciência são imutáveis pela combinação das operações C e P, e também pela combinação de C, P e T, elas também devem ser imutáveis sob a operação T isolada. Contudo, há uma grande diferença entre as direções para a frente e para trás do tempo real na vida comum. Imagine um copo d'água caindo de uma mesa e estilhaçando no chão. Se você filma a cena, é fácil dizer se está indo para a frente ou para trás. Se passa o filme para trás, vê os cacos saindo do chão e se juntando para formar um copo inteiro sobre a mesa. Dá para perceber que o filme está voltando porque nunca se observa esse tipo de comportamento no mundo normal. Se assim fosse, os fabricantes de copos iriam à falência.

Em geral, a explicação dada para o fato de não vermos copos quebrados se juntando no chão e pulando de volta para a mesa é que isso é proibido pela segunda lei da termodinâmica. Ela afirma que, em qualquer sistema fechado, a desordem ou entropia sempre aumenta com o tempo. Em outras palavras, é uma espécie de lei de Murphy: as coisas sempre tendem a dar errado! Um copo intacto sobre a mesa é um estado de ordem elevada, mas um copo quebrado no chão é um estado desordenado. É fácil ir do copo sobre a mesa no passado para o copo quebrado no chão no futuro, mas não percorrer o caminho inverso.

O aumento da desordem ou entropia com o tempo é um exemplo do que chamamos de seta do tempo, algo que distingue o passado do futuro, estabelecendo uma direção. Existem pelo menos três setas do tempo distintas. Primeiro, há a seta do tempo termodinâmica, a direção na qual a desordem ou entropia aumenta. Depois, há a seta do tempo psicológica. Essa é a direção em que sentimos o tempo passar, a direção em que nos lembramos do passado, mas não do futuro. Enfim, há a seta do tempo cosmológica. Essa é a direção do tempo em que o universo está se expandindo, em vez de se contrair.

Neste capítulo, argumentarei que a condição sem-contorno para o universo, em conjunto com o princípio antrópico fraco, pode explicar por que as três setas apontam na mesma direção — e, além disso, por que uma seta do tempo bem definida deve existir de fato. Argumentarei que a seta psicológica é determinada pela seta termodinâmica e que essas duas setas necessariamente sempre apontam na mesma direção. Se presumirmos a condição sem-contorno para o universo, veremos que deve haver setas do tempo termodinâmica e cosmológica bem definidas, mas que elas não apontarão na mesma direção durante toda a história do universo. Entretanto, argumentarei que apenas quando elas de fato apontam na mesma direção é que as condições são adequadas para o desenvolvimento de seres inteligentes capazes de se perguntar por que a desordem aumenta na mesma direção do tempo em que o universo se expande.

Discutirei primeiro a seta do tempo termodinâmica. A segunda lei da termodinâmica resulta do fato de que existem sempre muito mais estados desordenados do que ordenados. Por exemplo, considere as peças de um quebra-cabeça dentro da caixa. Há um único arranjo no qual as peças formam uma imagem completa. Por outro lado, há um enorme número de arranjos nos quais as peças ficam desordenadas e não formam imagem alguma.

Suponha que um sistema comece em um dos poucos estados ordenados possíveis. À medida que o tempo passar, o sistema evoluirá segundo as leis da ciência e seu estado mudará. Em um momento posterior, é mais provável que o sistema esteja em estado desordenado do que ordenado, porque há mais estados desordenados. Assim, a desordem tenderá a aumentar com o tempo se o sistema obedecer a uma condição inicial de mais ordem.

Suponha que as peças do quebra-cabeça comecem dentro de uma caixa no arranjo ordenado em que formam uma imagem. Se sacudirmos a caixa, as peças assumirão outro arranjo. O mais provável é que seja um arranjo desordenado no qual as peças não formam uma imagem apropriada, simplesmente porque há muitos outros arranjos desordenados. Alguns grupos de peças ainda podem formar parte da imagem, mas, quanto mais sacudirmos a caixa, mais provável será que esses grupos se separem e as peças fiquem em um estado de completa confusão, em que não formam tipo algum de imagem. Assim, a desordem das peças provavelmente aumentará com o tempo se as peças obedecerem à condição inicial de terem começado em uma condição mais ordenada.

No entanto, digamos que Deus decidiu que o universo deve terminar em um estado de mais ordem, mas que não importa o estado no qual ele começou. No início, o universo provavelmente estaria em desordem. Isso significaria que ela *diminuiria* com o tempo. Veríamos copos quebrados se juntando e pulando de volta para a mesa. No entanto, os seres humanos que observassem os copos estariam vivendo em um universo onde a desordem diminui com o tempo. Meu argumento é que eles teriam uma seta do tempo psicológica invertida. Ou seja, eles se lembrariam de eventos no futuro e não se recordariam de eventos de seu passado. Quando o copo estivesse quebrado, eles se lembrariam do objeto na mesa, mas, quando estivesse sobre a mesa, não se lembrariam dele no chão.

É um tanto difícil falar sobre a memória humana porque não sabemos detalhes de como o cérebro funciona. No entanto, sabemos tudo sobre o funcionamento da memória dos computadores. Desse modo, discutirei a seta do tempo psicológica para essas máquinas. Acho razoável presumir que a seta dos computadores é a mesma dos seres humanos. Se não fosse, alguém poderia faturar uma grana preta no mercado de ações se tivesse um computador que lembrasse os preços do dia seguinte! A memória de um computador é basicamente um dispositivo contendo elementos que podem existir em um de dois estados. Um exemplo simples é o ábaco. Em sua forma mais simples, ele consiste de uma série de hastes; em cada uma há diversas contas que podem ser colocadas em uma de duas posições. Antes que um item seja registrado na memória de um computador, esta se encontra em um estado desordenado, o que representa probabilidades iguais para os dois estados possíveis. (As contas do ábaco estão espalhadas de modo aleatório pelas hastes.) Depois que a memória interage com o sistema a ser lembrado, ela ficará definitivamente em um ou outro estado, de acordo com o estado do sistema. (Cada conta do ábaco ficará à esquerda ou à direita da haste.) Assim, a memória passou de um estado desordenado para um ordenado. Entretanto, para se ter certeza de que a memória está no estado correto, é necessário usar determinada quantidade de energia (para mover a conta ou ligar o computador, por exemplo). Essa energia é dissipada como calor e aumenta a quantidade de desordem no universo. Podemos demonstrar que esse aumento na desordem é sempre maior do que o aumento na ordem da própria memória. Desse modo, o calor expelido pela ventoinha do *cooler* significa que, quando um computador registra um item na memória, a quantidade total de desordem no universo continua aumentando. A direção do tempo em que um computador se lembra do passado é a mesma daquela em que a desordem aumenta.

Nossa noção subjetiva de direção do tempo, a seta do tempo psicológica, é, portanto, determinada no nosso cérebro pela seta do tempo termodinâmica. Assim como um computador, devemos lembrar as coisas na ordem em que a entropia aumenta. Isso torna a segunda lei da termodinâmica quase trivial. A desordem aumenta com o tempo porque medimos o tempo na direção em que a desordem aumenta. Não existe aposta mais garantida!

Mas por que a seta do tempo termodinâmica precisa existir? Ou, em outras palavras, por que o universo deve estar em um estado de mais ordem em um extremo do tempo, o extremo que chamamos de passado? Por que ele não fica em um estado de completa desordem o tempo todo? Afinal, isso pode parecer mais provável. E por que a direção do tempo na qual a desordem aumenta é a mesma daquela em que o universo se expande?

Na teoria clássica da relatividade geral, não podemos prever como o universo teria começado porque todas as leis conhecidas da ciência teriam sido violadas na singularidade do Big Bang. O universo poderia ter começado em um estado muito liso e ordenado. Isso teria levado a setas do tempo termodinâmica e cosmológica bem definidas, como observamos. Contudo, do mesmo modo, ele poderia ter começado em um estado bem inomogêneo e desordenado. Se assim fosse, o universo já estaria em um estado de completa desordem; logo, a desordem não poderia aumentar com o tempo. Ela permaneceria constante, e nesse caso não haveria seta do tempo termodinâmica bem definida, ou ela diminuiria, e, portanto, a seta do tempo termodinâmica apontaria na direção oposta da seta cosmológica. Nenhuma dessas possibilidades coincide com o que observamos. Entretanto, como vimos, a relatividade geral clássica prevê sua própria ruína. Quando a curvatura do espaço-tempo cresce, os efeitos gravitacionais tornam-se importantes e a teoria clássica deixa de ser uma boa descrição do universo. Precisamos usar uma teoria da gravitação quântica para compreender como o universo teve início.

Em uma teoria da gravitação quântica, como vimos no capítulo anterior, a fim de descrever o estado do universo ainda assim precisaríamos dizer como as possíveis histórias do universo se comportariam no contorno do espaço-tempo no passado. Para evitar essa dificuldade de ter de descrever o que não sabemos e não conseguimos saber, bastaria as histórias satisfazerem a condição sem-contorno: elas seriam finitas em extensão, mas não teriam contornos, bordas ou singularidades. Nesse caso, o início do tempo seria um ponto regular, liso, do espaço-tempo, e o universo teria iniciado sua expansão em um estado muito liso e ordenado. Não poderia ter sido uniforme por completo, pois isso violaria o princípio da incerteza da teoria quântica. Teria havido necessariamente pequenas flutuações na densidade e nas velocidades das partículas. Contudo, a condição sem-contorno implicaria que essas flutuações seriam muito pequenas, condizentes com o princípio da incerteza.

O universo teria começado com um período de expansão exponencial ou "inflacionária" no qual teria aumentado de tamanho muitas e muitas vezes. Durante essa expansão, as flutuações de densidade teriam permanecido pequenas no início, mas depois teriam começado a crescer. A atração gravitacional da massa extra teria desacelerado a expansão de regiões onde a densidade era ligeiramente mais elevada do que a média. Em algum momento, tais regiões teriam parado de se expandir e entrado em colapso para formar galáxias, estrelas e seres como nós. O universo teria começado em um estado liso e ordenado e, então, teria se tornado inomogêneo e desordenado com o passar do tempo. Isso explicaria a existência da seta do tempo termodinâmica.

Mas o que aconteceria se e quando o universo parasse de se expandir e começasse a se contrair? Será que a seta termodinâmica se inverteria e a desordem passaria a diminuir com o tempo? Isso levaria a todo tipo de possibilidade de ficção científica para as pessoas que sobrevivessem da fase de expansão para a de contração. Será que elas veriam copos quebrados se unindo no chão e pulando para cima da mesa? Seriam capazes de se lembrar dos preços do dia seguinte e fazer uma fortuna no mercado de ações? Talvez pareça um pouco abstrato demais se preocupar com o que acontecerá quando o universo entrar em colapso outra vez, já que ele só deve começar a se contrair de novo daqui a pelo menos mais dez bilhões de anos. Entretanto, existe um modo mais rápido de descobrir: pular em um buraco negro. O colapso de uma estrela para formar um buraco negro é bastante parecido com os estágios finais do colapso de todo o universo. Assim, se a desordem deve diminuir na fase de contração do universo, é de se esperar que também diminua dentro de um buraco negro. Então talvez o astronauta que caísse em um buraco negro fosse capaz de ganhar dinheiro na roleta lembrando-se do número em que a bolinha caiu antes de fazer a aposta. (Infelizmente, porém, ele não teria muito tempo para jogar antes de virar espaguete. Também não seria capaz de nos contar sobre a reversão da seta termodinâmica, nem de depositar o que ganhou em sua conta, porque ficaria aprisionado no horizonte de eventos do buraco negro.)

A princípio, eu acreditava que a desordem diminuiria quando o universo voltasse a entrar em colapso. Pensava que o universo tinha de voltar a um estado liso e ordenado quando ficasse pequeno outra vez. Isso significaria que a fase de contração seria como a reversão de tempo da fase de expansão. As pessoas na fase de contração viveriam suas vidas de trás para a frente: morreriam antes de ter nascido e ficariam mais jovens à medida que o universo se contraísse.

A ideia é atraente porque significaria uma simetria agradável entre as fases de expansão e de contração. No entanto, não podemos adotá-la de maneira isolada e independente de outras ideias sobre o universo. A questão é: ela está subentendida pela condição sem-contorno ou é incompatível com essa condição? Como eu disse, a princípio achei que a condição sem-contorno de fato implicava que a desordem diminuiria na fase de contração. Em parte, fui iludido pela analogia com a superfície da Terra. Se tomássemos o polo norte como o início do universo, o fim deste seria semelhante ao começo, assim como o polo sul é similar ao norte. Entretanto, os polos norte e sul correspondem ao início e ao fim do universo no tempo imaginário. O início e o fim no tempo real podem ser bem diferentes um do outro. Também fui levado a acreditar nisso pelo meu trabalho anterior sobre um modelo simples do universo no qual a fase em colapso se parecia com a reversão temporal da fase de expansão. Contudo, um colega meu, Don Page, da Universidade Penn State, observou que a condição sem-contorno não exigia que a fase de contração fosse necessariamente a reversão temporal da fase de expansão. Além disso, um de meus alunos, Raymond Laflamme, descobriu que, em um modelo um pouco mais complexo, o colapso do universo seria muito diferente da expansão. Percebi que tinha cometido um erro: a condição sem-contorno significava que, na verdade, a desordem continuaria aumentando durante a contração. As setas termodinâmica e psicológica do tempo não reverteriam quando o universo começasse a se contrair outra vez, nem o fariam dentro dos buracos negros.

O que você faz quando descobre que cometeu um equívoco desses? Certas pessoas jamais admitem o erro e continuam encontrando argumentos novos e, muitas vezes, mutuamente contradizentes para provar seu ponto de vista — como Eddington fez ao se opor à teoria dos buracos negros. Outros alegam que nunca apoiaram de fato o ponto de vista incorreto ou, se o fizeram, foi apenas para mostrar que era incoerente. Na minha opinião, é muito melhor e menos confuso admitir o próprio erro em uma publicação. Um bom exemplo disso foi Einstein, que chamou a constante cosmológica, a qual introduziu quando tentava criar um modelo estático do universo, de o maior erro de sua vida.

Voltando à seta do tempo, fica a pergunta: por que observamos que as setas termodinâmica e cosmológica apontam na mesma direção? Ou, em outras palavras, por que a desordem aumenta na mesma direção do tempo em que o universo se expande? Se acreditarmos que o universo se expandirá e depois voltará a se contrair, como a proposição sem-contorno parece sugerir, a questão passará a ser entender por que devemos estar na fase de expansão e não na de contração.

Podemos responder a isso com base no princípio antrópico fraco. As condições na fase de contração não seriam adequadas para a existência de seres inteligentes capazes de fazer a pergunta "Por que a desordem aumenta na mesma direção do tempo em que o universo se expande?". A inflação nos primeiros estágios do universo, que é prevista pela proposição sem-contorno, significa que o universo deve estar se expandindo a uma taxa muito próxima da taxa crítica na qual escaparia de entrar outra vez em colapso por uma margem mínima e, desse modo, não demorará muito a entrar em colapso. A essa altura, todas as estrelas já terão se extinguido e os prótons e nêutrons nelas provavelmente terão decaído em partículas de luz e radiação. O universo se encontraria em um estado de quase completa desordem. Não haveria nenhuma seta do tempo termodinâmica forte. A desordem não poderia aumentar muito, pois o universo já estaria em um estado de quase completa desordem. Entretanto, precisa haver uma seta termodinâmica forte para que exista vida inteligente. A fim de sobreviver, os seres humanos têm de consumir alimento, uma forma ordenada de energia, e convertê-lo em calor, uma forma desordenada de energia. Assim, a vida inteligente não poderia existir na fase de contração do universo. Isso explica por que observamos as setas do tempo termodinâmica e cosmológica apontando na mesma direção. Não é que a expansão do universo cause o aumento da desordem, mas sim que a condição sem-contorno leva a desordem a aumentar e faz com que as condições sejam adequadas para a vida inteligente apenas na fase de expansão.

Resumindo, as leis da ciência não fazem distinção entre as direções para a frente e para trás do tempo. Contudo, há pelo menos três setas do tempo que distinguem o passado do futuro. São elas: a seta termodinâmica, a direção do tempo em que a desordem aumenta; a seta psicológica, a direção do tempo em que nos lembramos do passado, e não do futuro; e a seta cosmológica, a direção do tempo em que o universo se expande, em vez de se contrair. Como já mostrei, a seta psicológica é em essência a mesma que a seta termodinâmica, de modo que as duas sempre apontariam na mesma direção. A proposição sem-contorno para o universo prevê a existência de uma seta termodinâmica bem definida porque o universo deve partir de um estado liso e ordenado. E o motivo para observarmos essa seta termodinâmica em harmonia com a seta cosmológica é que seres inteligentes podem existir apenas na fase de expansão. A fase de contração seria inadequada, pois não possuiria seta do tempo termodinâmica forte.

O progresso da raça humana em compreender o universo estabeleceu um cantinho de ordem em um universo cada vez mais desordenado. Se você se lembrar de cada palavra neste livro, sua memória terá registrado cerca de dois milhões de unidades de informação: a ordem em seu cérebro terá aumentado em cerca de dois milhões de unidades. Entretanto, enquanto você lia o livro, converteu pelo menos mil calorias de energia ordenada, na forma de alimento, em energia desordenada, na forma de calor que perde para o ar em torno por convecção e suor. Isso aumenta a desordem do universo em cerca de vinte milhões de milhões de milhões de milhões de unidades — ou cerca de dez milhões de milhões de milhões de vezes o aumento de ordem em seu cérebro — e isso caso você se lembre *de tudo* neste livro. Depois do próximo capítulo, tentarei aumentar um pouco mais a ordem aqui em nosso cantinho do mundo ao explicar como as pessoas estão tentando encaixar as teorias parciais que descrevi para formar uma teoria unificada completa que abarque tudo no universo.

10

BURACOS DE MINHOCA E VIAGEM NO TEMPO

NO CAPÍTULO ANTERIOR, DISCUTI POR QUE VEMOS O TEMPO IR PARA a frente: por que a desordem aumenta e por que nos lembramos do passado, mas não do futuro. O tempo foi tratado como uma linha ferroviária direta na qual só poderíamos ir em uma direção ou na outra.

No entanto, e se a linha ferroviária tivesse ramais que dessem voltas e permitissem que um trem pudesse avançar mas voltasse para uma estação pela qual já havia passado? Em outras palavras, seria possível alguém viajar para o futuro ou para o passado?

Em *A máquina do tempo*, H.G. Wells, assim como inúmeros outros escritores de ficção científica, explorou essas possibilidades. Contudo, muitas ideias da ficção científica, como submarinos e viagens à Lua, tornaram-se uma realidade comum da ciência. Então quais são as perspectivas para a viagem no tempo?

O primeiro indício de que as leis da física podiam de fato permitir às pessoas viajar no tempo surgiu em 1949, quando Kurt Gödel descobriu um novo espaço-tempo permitido pela relatividade geral. Gödel foi um matemático famoso por provar que é impossível demonstrar todos os enunciados como verdadeiros, mesmo se você se limitar a tentar demonstrar todos os enunciados em um assunto aparentemente tão simples quanto aritmética. Assim como o princípio da incerteza, o teorema da incompletude de Gödel talvez seja uma limitação fundamental em nossa capacidade de compreender e prever o universo, mas, pelo menos até agora, não pareceu ser um obstáculo em nossa busca por uma teoria unificada completa.

Gödel entrou em contato com a relatividade geral quando ele e Einstein passaram seus últimos anos no Instituto de Estudos Avançados em Princeton. Seu espaço-tempo tinha a propriedade curiosa de que o universo inteiro estava em rotação. Alguém poderia perguntar: "Rotação em relação a quê?" A resposta é que a matéria distante estaria girando em relação às direções apontadas por peões e giroscópios.

Isso tinha o efeito colateral de que seria possível alguém decolar em um foguete e voltar para a Terra antes de ter saído. Essa propriedade incomodou Einstein de verdade, pois, para ele, a relatividade geral não permitia a viagem no tempo. Entretanto, dado o histórico de Einstein de oposição infundada ao colapso gravitacional e ao princípio da incerteza, talvez esse fosse um bom sinal. A solução que Gödel encontrou não corresponde ao universo em que vivemos, pois podemos demonstrar que este não está em rotação. Ela também apresentava um valor "não zero" da constante cosmológica que Einstein introduziu quando pensou que o universo fosse imutável. Depois que Hubble descobriu a expansão do universo, não havia necessidade de uma constante cosmológica, e, de modo geral, hoje se acredita que ela seja zero. Contudo, depois disso, foram encontrados outros espaços-tempos mais razoáveis que são admitidos pela relatividade geral e permitem a viagem para o passado. Um se encontra no interior de um buraco negro. Outro é um espaço-tempo que contém duas cordas cósmicas passando uma pela outra a alta velocidade. Como o nome sugere, cordas cósmicas são objetos semelhantes a cordas, pois possuem comprimento, mas uma seção transversal minúscula. Na verdade, estão mais para elásticos, pois se encontram sob enorme tensão, algo como um milhão de milhões de milhões de milhões de toneladas. Uma corda cósmica ligada à Terra poderia acelerar o planeta de zero a cem quilômetros por hora em 1/30 de segundo. Cordas cósmicas talvez soem como pura ficção científica, mas há motivos para acreditar que elas poderiam ter se formado no universo primitivo como resultado de uma quebra de simetria do tipo discutido no Capítulo 5. Como estariam sob enorme tensão e poderiam começar em qualquer configuração, talvez acelerassem a velocidades altíssimas quando esticadas.

A solução de Gödel e o espaço-tempo de corda cósmica começam de um jeito tão distorcido que a viagem ao passado sempre seria possível. Talvez Deus tenha criado um universo dobrado, porém não temos motivo para acreditar nisso. Observações da radiação cósmica de fundo e das abundâncias dos elementos leves indicam que o universo primitivo não tinha o tipo de curvatura exigida para permitir a viagem no tempo. A teoria fornece a mesma conclusão se a proposição sem-contorno estiver correta. Assim, a questão é: se o universo teve um início sem o tipo de curvatura exigida para a viagem no tempo, podemos dobrar regiões locais do espaço-tempo o suficiente para permiti-la?

Um problema muito ligado a esse e que também diz respeito aos autores de ficção científica é a viagem interestelar ou intergaláctica rápida. Segundo a relatividade, nada pode viajar mais rápido do que a luz. Portanto, se enviarmos uma espaçonave à nossa estrela mais próxima, Alfa Centauri, que está a cerca de quatro anos-luz de distância, esperaríamos pelo menos oito anos até que os viajantes voltassem e nos contassem o que descobriram. Se a expedição fosse para o centro da galáxia, levaria pelo menos cem mil anos para regressar. A teoria da relatividade ao menos nos permite um consolo: o paradoxo dos gêmeos, mencionado no Capítulo 2.

Como não existe um padrão de tempo único, pois cada observador mede o próprio tempo com o relógio que carrega, é possível que a viagem pareça muito mais curta para os viajantes espaciais do que para aqueles que permanecem na Terra. No entanto, não seria muito agradável voltar de uma viagem espacial alguns anos mais velho e descobrir que todo mundo que você deixou para trás morreu milhares de anos antes. Assim, para manter algum interesse humano em suas histórias, os escritores de ficção científica tiveram de supor que um dia descobriríamos como viajar mais rápido do que a luz. O que a maioria desses escritores parece não ter percebido é que, se você viajar mais rápido do que a luz, a teoria da relatividade prevê que você também poderá viajar de volta no tempo, como ilustra esta quintilha bem-humorada:

There was a young lady of Wight
Who travelled much faster than light
She departed one day
In a relative way
*And arrived on the previous night**

A questão é que, segundo a teoria da relatividade, não há uma medida de tempo única com que todos os observadores concordarão. Em vez disso, cada observador tem sua própria medida de tempo. Se é possível que um foguete viajando abaixo da velocidade da luz vá do evento A (digamos, a final da corrida de cem metros rasos nos Jogos Olímpicos de 2012) para o evento B (digamos, a reunião de abertura do 100.004º Congresso de Alfa Centauri), então todos os observadores concordarão que o evento A aconteceu antes do evento B de acordo com seus relógios. Suponha, contudo,

* Havia uma jovem de Wight/Que viajava muito mais rápido do que a luz/Ela partiu certo dia/De uma maneira relativa/E chegou na noite anterior. (N. do T.)

que a espaçonave tivesse de viajar mais rápido do que a velocidade da luz para levar a notícia da corrida ao congresso. Nesse caso, observadores movendo-se a velocidades diferentes podem discordar do fato de o evento A ter ocorrido antes do B ou vice-versa. De acordo com o momento de um observador em repouso em relação à Terra, o congresso pode ter começado após a corrida. Assim, esse observador pensaria que uma espaçonave poderia ir de A para B a tempo apenas se ela fosse capaz de ignorar o limite da velocidade da luz. No entanto, para um observador em Alfa Centauri afastando-se da Terra aproximadamente à velocidade da luz, pareceria que o evento B, a abertura do congresso, ocorreria antes do evento A, a corrida de cem metros rasos. A teoria da relatividade diz que as leis da física parecem as mesmas para observadores movendo-se a velocidades diferentes.

Essa ideia foi bastante testada por experimentos e é provável que permaneça válida mesmo que descubramos outra teoria para substituir a relatividade. Assim, o observador em movimento diria que, se é possível viajar mais rápido do que a luz, deveria ser possível ir do evento B, a abertura do congresso, ao evento A, a corrida de cem metros. Se a pessoa se movesse um pouquinho mais depressa, poderia até voltar antes da corrida e fazer uma aposta sabendo quem ganharia.

Há um problema em quebrar a barreira da velocidade da luz. A teoria da relatividade diz que a potência necessária dos foguetes para acelerar uma espaçonave aumenta à medida que ele se aproxima da velocidade da luz. Dispomos de evidência experimental disso, não com espaçonaves, mas com partículas elementares em aceleradores de partículas, como os do Fermilab ou do Cern. Podemos acelerar partículas a 99,99% da velocidade da luz, porém, por mais energia que empreguemos, é impossível fazer com que ultrapassem a barreira da velocidade da luz. O mesmo se dá com as espaçonaves: por maior que seja a potência de seus foguetes, eles não conseguem acelerá-las além da velocidade da luz.

Talvez isso pareça descartar tanto a viagem espacial rápida quanto a viagem de volta no tempo. No entanto, há uma possível saída. Poderíamos conseguir dobrar o espaço-tempo de maneira a formar um atalho entre A e B. Um modo de fazer isso seria criar um buraco de minhoca entre A e B. Como o nome sugere, o buraco de minhoca é um tubo fino de espaço-tempo que pode conectar duas regiões quase planas muito distantes.

Não é preciso haver relação alguma entre o comprimento do buraco de minhoca e a distância entre suas extremidades no fundo quase plano. Assim, é possível imaginar que poderíamos criar ou encontrar um buraco de minhoca que nos levasse dos arredores do Sistema Solar para Alfa Centauri. O comprimento do buraco de minhoca talvez seja de apenas alguns milhões de quilômetros, ainda que a Terra e Alfa Centauri estejam separadas por mais de trinta trilhões de quilômetros no espaço comum. Isso permitiria que a notícia da corrida de cem metros rasos chegasse à abertura do congresso. Entretanto, nesse caso, um observador movendo-se na direção da Terra também seria capaz de encontrar outro buraco de minhoca que o permitisse comparecer à abertura do congresso em Alfa Centauri e voltar à Terra antes do início da corrida. Desse modo, buracos de minhoca, assim como qualquer outra forma possível de ultrapassar a velocidade da luz, permitiriam à pessoa viajar para o passado.

A ideia de buracos de minhoca entre regiões diferentes do espaço-tempo não foi invenção dos escritores de ficção científica. Ela veio de uma fonte muito respeitável.

Em 1935, Einstein e Nathan Rosen escreveram um artigo mostrando que a relatividade geral permitia o que eles chamaram de "pontes", hoje conhecidas como buracos de minhoca. As pontes de Einstein-Rosen não duravam tempo suficiente para que uma espaçonave as atravessasse: a nave toparia com uma singularidade quando o buraco de minhoca se fechasse. Todavia, já se sugeriu que talvez fosse possível uma civilização avançada manter um buraco de minhoca aberto. Para isso, ou para curvar o espaço-tempo de qualquer outra maneira a fim de permitir a viagem no tempo, podemos demonstrar que precisamos de uma região do espaço-tempo com curvatura negativa, como a superfície de uma sela. A matéria comum, que tem densidade de energia positiva, dá ao espaço-tempo uma curvatura positiva, como a superfície de uma esfera. Assim, precisamos de matéria com densidade de energia negativa para curvar o espaço-tempo de modo a permitir a viagem ao passado.

Energia é um pouco como dinheiro: se seu saldo é positivo, você pode distribuí-lo de várias maneiras, mas, segundo as leis clássicas em que se acreditava no início do século XX, era impossível chegar a um saldo negativo. Desse modo, essas leis clássicas teriam impedido qualquer chance de viagem no tempo. Entretanto, como expliquei em capítulos anteriores, as leis clássicas foram substituídas por leis quânticas baseadas no princípio da incerteza. As leis quânticas são mais liberais e permitem que você fique no negativo em uma ou duas contas, desde que o balanço total seja positivo. Em outras palavras, a teoria quântica permite que a densidade de energia seja negativa em alguns lugares, contanto que seja compensada pela densidade de energia positiva em outros, de modo que a energia total permaneça positiva. Um exemplo de como a teoria quântica pode admitir densidades de energia negativas ocorre no que chamamos de efeito Casimir. Como vimos no Capítulo 7, mesmo o que achamos ser espaço "vazio" é repleto de pares de partículas e antipartículas virtuais que surgem juntas, movem-se separadas e voltam a se juntar para se aniquilar mutuamente. Agora, suponha que tenhamos duas placas de metal paralelas afastadas por uma distância curta. As placas atuarão como espelhos para os fótons ou partículas de luz virtuais. Na verdade, formarão uma cavidade entre eles, mais ou menos como um tubo de órgão que ressoa apenas com determinadas notas. Isso significa que só pode haver fótons virtuais no espaço entre as placas se seus comprimentos de onda (a distância entre a crista de uma onda e a seguinte) cabem um número inteiro de vezes no vão entre as placas. Se a largura de uma cavidade for um número inteiro de comprimentos de onda mais uma fração, após ir e vir refletindo algumas vezes entre as placas as cristas de uma onda coincidirão com os vales de outra, e as ondas se anularão.

Como os fótons virtuais entre as placas podem ter apenas os comprimentos de onda ressonantes, haverá um número ligeiramente menor ali do que na região fora das placas, onde fótons virtuais podem ter qualquer comprimento de onda. Desse modo, haverá um pouco menos de fótons virtuais atingindo as superfícies internas das placas do que as superfícies externas. Desse modo, seria de se esperar uma força sobre as placas, que empurrasse uma na direção da outra. Na verdade, essa força foi detectada e apresentou o valor previsto. Assim, temos evidência experimental de que partículas virtuais existem e têm efeitos reais.

O fato de haver menos fótons virtuais entre as placas significa que a densidade de energia delas será menor do que em outro lugar. Contudo, a densidade de energia total em um espaço "vazio" longe das placas deve ser zero, pois, caso contrário, a densidade de energia dobraria o espaço, e ele não seria quase plano. Assim, se a densidade de energia entre as placas é menor do que a densidade de energia longe delas, ela deve ser negativa.

Dessa forma, temos evidência experimental tanto de que o espaço-tempo pode ser dobrado (pela curvatura da luz durante eclipses) quanto de que ele pode ser curvado da maneira necessária para permitir a viagem no tempo (pelo efeito Casimir). Poderíamos, então, ter esperança de que, à medida que avançássemos na ciência e na tecnologia, construiríamos uma máquina do tempo. Porém, se esse é o caso, por que ninguém ainda voltou do futuro e nos disse como fazê-lo? Pode haver bons motivos para se acreditar que seria imprudente termos o segredo da viagem no tempo em nosso atual estado de desenvolvimento primitivo, mas, a menos que a natureza humana mude radicalmente, é difícil acreditar que algum visitante do futuro não entregaria o ouro. Claro, algumas pessoas alegariam que avistamentos de óvnis são evidência de visitas de alienígenas ou pessoas do futuro. (Se alienígenas quisessem chegar aqui em um tempo razoável, precisariam viajar mais rápido do que a luz. Ou seja, as duas possibilidades podem ser equivalentes.)

Entretanto, acho que qualquer visita de alienígenas ou de pessoas do futuro seria muito mais óbvia e, provavelmente, muito mais desagradável. Se eles pretendessem se revelar de algum modo, por que o fariam apenas para pessoas que não são vistas como testemunhas confiáveis? Se querem nos alertar sobre algum grande perigo, não estão sendo muito eficazes.

Uma forma possível de explicar a ausência de visitantes do futuro seria dizer que o passado é fixo, pois, ao observá-lo, vemos que ele não tem o tipo de curvatura necessária para permitir a viagem de volta do futuro. Por outro lado, o futuro é desconhecido e aberto, de modo que pode perfeitamente ter a curvatura exigida. Isso significa que qualquer viagem no tempo ficaria confinada ao futuro. Não haveria chance de o capitão Kirk e a nave *Enterprise* aparecerem no presente.

Talvez isso explique por que ainda não fomos invadidos por turistas vindos do futuro, mas não evitaria os problemas que surgiriam se fôssemos capazes de voltar no tempo e mudar a história. Suponha, por exemplo, que você voltasse e matasse seu tataravô quando ele ainda era criança. Há muitas versões desse paradoxo, mas em essência elas são equivalentes: a pessoa criaria contradições se fosse livre para mudar o passado.

Parece haver duas soluções possíveis para os paradoxos apresentados pela viagem no tempo. Chamarei a primeira de abordagem das histórias consistentes. Ela afirma que, mesmo que o espaço-tempo seja dobrado de modo a permitir viagens ao passado, o que acontece no espaço-tempo deve ser uma solução compatível com as leis da física. Segundo esse ponto de vista, você não poderia voltar no tempo, a menos que a história mostrasse que já chegara no passado e, enquanto esteve lá, não matara seu tataravô nem cometera quaisquer outros atos que entrariam em conflito com sua situação no presente. Além do mais, quando voltasse para seu próprio tempo, você não seria capaz de mudar o registro histórico. Isso significa que não teria livre-arbítrio para fazer o que quisesse. Claro, alguém poderia dizer que o livre-arbítrio é uma ilusão, de todo modo. Se há de fato uma teoria unificada completa que governa todas as coisas, podemos presumir que ela determina também suas ações. Mas o faz de um modo impossível de calcular para um organismo tão complexo quanto um ser humano. O motivo para dizermos que os seres humanos têm livre-arbítrio é que não podemos prever o que farão. No entanto, se uma pessoa parte em uma nave espacial e volta antes de ter partido, *poderemos* prever o que ela fará porque será parte do registro histórico. Portanto, nessa situação, o viajante do tempo não teria livre-arbítrio.

O outro modo possível de resolver os paradoxos da viagem no tempo pode ser chamado de hipótese das histórias alternativas. De acordo com essa ideia, quando os viajantes do tempo voltam ao passado, entram em histórias alternativas que diferem do registro histórico. Desse modo, podem agir livremente, sem a limitação da coerência com sua história prévia. Steven Spielberg se divertiu com essa ideia na trilogia *De volta para o futuro*: Marty McFly foi capaz de voltar no tempo e transformar o namoro de seus pais em uma história mais bem-sucedida.

A hipótese das histórias alternativas lembra bastante o modo como Richard Feynman expressou a teoria quântica como uma soma das histórias, conforme descrito nos Capítulos 4 e 8. Esse conceito afirma que o universo não tem apenas uma única história: em vez disso, todas as histórias possíveis, cada uma com sua probabilidade. Entretanto, parece haver uma diferença importante entre a proposição de Feynman e as histórias alternativas. Na soma de Feynman, cada história compreende um espaço-tempo completo e tudo que existe nele. O espaço-tempo pode ser tão dobrado que é possível viajar em um foguete para o passado. Mas o foguete permaneceria no mesmo espaço-tempo e, portanto, na mesma história, que teria de ser coerente. Assim, a proposição de Feynman de soma das histórias parece sustentar mais a hipótese das histórias consistentes do que a das histórias alternativas.

A soma das histórias de Feynman *de fato* admite a viagem ao passado em uma escala microscópica. No Capítulo 9, vimos que as leis da ciência são imutáveis pelas combinações das operações C, P e T. Isso significa que uma antipartícula girando no sentido anti-horário e deslocando-se de A para B também pode ser vista como uma partícula comum girando no sentido horário e retrocedendo no tempo de B para A. Do mesmo modo, uma partícula comum deslocando-se para a frente no tempo equivale a uma antipartícula se deslocando para trás no tempo. Como discutido aqui e no Capítulo 7, o espaço "vazio" é cheio de pares de partículas e antipartículas virtuais que surgem juntas, afastam-se e depois voltam a se unir e se aniquilam.

Assim, podemos encarar o par de partículas como uma única partícula deslocando-se em um circuito fechado no espaço-tempo. Quando o par se desloca para a frente no tempo (do evento no qual surge para aquele em que é aniquilado), é chamado de partícula. Porém, quando a partícula está viajando de volta no tempo (do evento no qual o par é aniquilado para aquele em que surge), dizemos que é uma antipartícula viajando para a frente no tempo.

A explicação de como buracos negros podem emitir partículas e radiação (apresentada no Capítulo 7) diz que o membro de um par de partícula/antipartícula virtual (digamos, a antipartícula) pode cair no buraco negro, deixando o outro membro sem uma parceira com a qual se aniquilar. A partícula que ficou para trás pode ainda cair no buraco negro, mas também pode escapar de seus arredores. Nesse caso, para um observador distante, pareceria ser uma partícula emitida pelo buraco negro.

Entretanto, podemos formar um cenário intuitivo diferente mas equivalente do mecanismo de emissão dos buracos negros. É possível encarar o membro do par virtual que cai no buraco negro (digamos, a antipartícula) como uma partícula viajando para trás no tempo ao sair do buraco negro. Quando ela chega ao ponto em que o par virtual de partícula/antipartícula aparecia junto, é dispersada pelo campo gravitacional e vira uma partícula viajando para a frente no tempo e escapando do buraco negro. Se, em vez disso, ela fosse a partícula que caiu no buraco, poderíamos encará-la como uma antipartícula viajando de volta no tempo e saindo do buraco negro. Assim, a radiação emitida por buracos negros mostra que a teoria quântica permite a viagem no tempo em uma escala microscópica e que tais viagens no tempo podem produzir efeitos observáveis.

Logo, cabe-nos perguntar: será que a teoria quântica permitiria a viagem no tempo em uma escala macroscópica, que as pessoas pudessem usar? À primeira vista, parece que sim. Em tese, a proposta da soma das histórias de Feynman refere-se a *todas* as histórias. Assim, ela deveria incluir histórias em que o espaço-tempo é tão dobrado que é possível viajar ao passado. Por que então não estamos encrencados com a história? Suponha, por exemplo, que alguém tenha voltado no tempo e fornecido o segredo da bomba atômica para os nazistas.

Esses problemas seriam evitados com a vigência do que chamo de conjectura de proteção da cronologia. Ela afirma que as leis da física conspiram para impedir que corpos *macroscópicos* transportem informação para o passado. Como a conjectura da censura cósmica, ela não foi provada, mas há motivos para acreditar que tenha validade.

O motivo para acreditar no funcionamento da proteção cronológica é que, quando o espaço-tempo é dobrado o suficiente para possibilitar a viagem para o passado, partículas virtuais movendo-se em circuitos fechados no espaço-tempo podem se tornar partículas reais viajando para a frente no tempo à velocidade da luz ou abaixo dela. Como essas partículas podem percorrer o circuito um número ilimitado de vezes, elas passam por todos os pontos de sua trajetória inúmeras vezes. Assim, sua energia é computada continuamente, e a densidade de energia fica muito grande. Isso pode proporcionar ao espaço-tempo uma curvatura positiva que não permitiria a viagem ao passado. Ainda não está claro se essas partículas causariam curvatura positiva ou negativa ou se a curvatura produzida por alguns tipos de partículas virtuais poderia anular aquela produzida por outros tipos. Desse modo, a possibilidade de viajar no tempo permanece em aberto. Mas não quero apostar nisso. Meu adversário na aposta talvez tenha a vantagem injusta de saber o futuro.

11

A UNIFICAÇÃO DA FÍSICA

COMO EXPLIQUEI NO CAPÍTULO 1, SERIA MUITO DIFÍCIL ELABORAR de uma só vez uma teoria unificada completa de tudo o que há no universo. Assim, em vez disso, progredimos encontrando teorias parciais que descrevem um espectro limitado de acontecimentos e negligenciando outros efeitos ou fazendo determinadas aproximações numéricas. (A química, por exemplo, permite que calculemos as interações entre os átomos sem conhecermos a estrutura interna do núcleo de um átomo.) No fim das contas, porém, esperamos encontrar uma teoria unificada completa e coerente que inclua todas essas teorias parciais como aproximações e que não precise de ajustes para se adequar aos fatos escolhendo-se os valores de certos números arbitrários na teoria. A busca por uma teoria assim é conhecida como "a unificação da física". Einstein passou a maior parte de seus últimos anos na busca por uma teoria unificada, mas o momento certo ainda não tinha chegado:

havia teorias parciais para a gravitação e a força eletromagnética, mas muito pouco se sabia sobre as forças nucleares. Além disso, Einstein se recusava a acreditar na realidade da mecânica quântica, a despeito do importante papel que ele próprio tivera em seu desenvolvimento. Contudo, parece que o princípio da incerteza é uma característica fundamental do universo onde vivemos. Uma teoria unificada bem-sucedida, portanto, deve necessariamente incorporar esse princípio.

Como descreverei, as perspectivas para encontrar essa teoria parecem bem melhores hoje porque sabemos muito mais sobre o universo. No entanto, devemos ter cuidado com o excesso de confiança — já alimentamos falsas esperanças antes! No início do século XX, por exemplo, acreditava-se que tudo podia ser explicado em termos de propriedades de matéria contínua, tal como a elasticidade e a condução de calor. A descoberta da estrutura atômica e do princípio da incerteza deu um fim contundente a isso. Então, em 1928, o físico e ganhador do Prêmio Nobel Max Born disse a um grupo de visitantes da Universidade de Göttingen: "A física tal como a conhecemos estará acabada em seis meses." Sua confiança se baseava na recente descoberta da equação que governava o elétron feita por Dirac. Acreditava-se que uma equação similar governaria o próton, a única outra partícula conhecida na época e que isso seria o fim da física teórica. Entretanto, a descoberta do nêutron e das forças nucleares deu cabo dessa ideia também. Dito isso, ainda acredito haver campo para um otimismo cauteloso de que podemos estar próximos de encerrar a busca pelas leis definitivas da natureza.

Nos capítulos anteriores, descrevi a relatividade geral, a teoria parcial da gravitação e as teorias parciais que governam as forças fraca, forte e eletromagnética. As três últimas talvez venham a ser combinadas nas ditas teorias da grande unificação, ou GUTs, que não são muito satisfatórias porque não incluem a gravidade e porque contêm uma série de grandezas — como as massas relativas de diferentes partículas — que não podem ser previstas com base na teoria, mas têm de ser escolhidas para se adequar às observações. A principal dificuldade em encontrar uma teoria que unifique a gravidade com as outras forças é que a relatividade geral é uma teoria "clássica"; ou seja, ela não incorpora o princípio da incerteza da mecânica quântica. Por outro lado, as outras teorias parciais dependem essencialmente da mecânica quântica. Portanto, um primeiro passo necessário é combinar a relatividade geral com o princípio da incerteza. Como vimos aqui, isso pode provocar consequências notáveis, tais como buracos negros não serem negros e o universo não apresentar quaisquer singularidades, mas ser completamente contido em si mesmo e sem contorno. Como expliquei no Capítulo 7, o problema é que o princípio da incerteza significa que mesmo o espaço "vazio" é repleto de pares de partículas e antipartículas virtuais. Esses pares teriam uma quantidade infinita de energia e, desse modo, segundo a famosa equação de Einstein, $E = mc^2$, teriam uma quantidade infinita de massa. Assim, sua atração gravitacional curvaria o universo em um tamanho infinitamente pequeno.

De forma bastante semelhante, infinitos aparentemente absurdos ocorrem nas outras teorias parciais, mas, em todos esses casos, eles podem ser anulados por um processo chamado renormalização, que o faz mediante a introdução de outros infinitos. Embora essa técnica seja um tanto duvidosa em termos matemáticos, parece funcionar na prática e tem sido usada junto a essas teorias para fazer previsões que se harmonizam às observações com um grau extraordinário de precisão. A renormalização, contudo, apresenta uma desvantagem séria sob o ponto de vista de se tentar encontrar uma teoria completa, pois significa que os valores verdadeiros das massas e as intensidades das forças não podem ser previstos com base na teoria, mas precisam ser escolhidos para se adequar às observações.

Na tentativa de incorporar o princípio da incerteza à relatividade geral, temos apenas duas quantidades que podem ser ajustadas: a força da gravidade e o valor da constante cosmológica. Entretanto, o ajuste dessas grandezas não é suficiente para eliminar todos os infinitos. Temos, portanto, uma teoria que parece prever que determinadas quantidades, como a curvatura do espaço-tempo, são de fato infinitas, e contudo sua observação e medição podem corresponder a um resultado perfeitamente finito! Já se suspeitava desse problema em combinar a relatividade geral e o princípio da incerteza havia algum tempo, mas a confirmação com cálculos detalhados surgiu apenas em 1972. Quatro anos mais tarde, sugeriu-se uma solução possível, chamada "supergravidade". A ideia era combinar a partícula de *spin* 2, ou gráviton, que transmite a força gravitacional, com outras partículas específicas de *spin* 3/2, 1, 1/2 e 0. Em certo sentido, poderíamos encarar todas essas partículas como aspectos diferentes da mesma "superpartícula", unificando, assim, as partículas de matéria de *spin* 1/2 e 3/2 com as partículas mediadoras de força de *spin* 0, 1 e 2. Os pares de partícula/antipartícula virtuais de *spin* 1/2 e 3/2 teriam energia negativa e, por isso, tenderiam a anular a energia positiva dos pares virtuais de *spin* 2, 1 e 0. Isso levaria muitos dos possíveis infinitos a se anularem, mas suspeitou-se que ainda pudessem restar alguns. Entretanto, os cálculos exigidos para descobrir se ainda havia infinitos não anulados eram tão longos e difíceis que ninguém estava preparado para fazê-los. Mesmo com um computador, considerou-se que levaria pelo menos quatro anos, e havia grande chance de a pessoa cometer pelo menos um erro, provavelmente mais. Assim, só daria para saber se a resposta estava correta se outra pessoa repetisse o cálculo e obtivesse o mesmo resultado, e isso não parecia muito provável!

Apesar desses problemas, e do fato de que as partículas nas teorias da supergravidade pareciam não combinar com as partículas observadas, a maioria dos cientistas acreditava que a supergravidade provavelmente era a resposta certa para o problema da unificação da física. Parecia a melhor maneira de unificar a gravidade com as outras forças. Entretanto, em 1984 houve uma mudança notável de opinião a favor do que se conhecia como as teorias das cordas. Nelas, os objetos básicos não são partículas, que ocupam um único ponto no espaço, mas coisas que têm comprimento e nenhuma outra dimensão, como um pedaço de corda infinitamente fino. Essas cordas podem ter pontas (nesse caso, chamam-se cordas abertas) ou podem estar ligadas a si mesmas em laços fechados (cordas fechadas), como vemos nas Figuras 11.1 e 11.2. Uma partícula ocupa um ponto no espaço a cada instante de tempo. Assim, pode-se representar sua história por uma linha no espaço-tempo (a "linha-mundo"). Uma corda, por outro lado, ocupa uma linha no espaço a cada momento do tempo. Logo, sua história no espaço-tempo é uma superfície bidimensional chamada de folha-mundo. (Qualquer ponto em uma folha-mundo pode ser descrito por dois números, um especificando o momento e outro, a posição do ponto na corda.) A folha-mundo de uma corda aberta é uma faixa ou fita: suas extremidades representam as trajetórias das pontas da corda pelo espaço-tempo [Figura 11.1]. A folha-mundo de uma corda fechada é um cilindro ou tubo [Figura 11.2]: uma seção transversal do tubo é um círculo, que representa a posição da corda em um momento específico.

Dois pedaços de corda podem se unir para formar uma única corda; no caso das cordas abertas, elas simplesmente se unem nas pontas [Figura 11.3], ao passo que, no caso das cordas fechadas, é como as duas pernas se unindo em uma calça [Figura 11.4]. Da mesma forma, um pedaço de corda pode se dividir em dois. Nas teorias das cordas, o que antes pensávamos ser partículas agora imaginamos como ondas viajando pela corda ou como ondas vibrando na linha de uma pipa. A emissão ou a absorção de uma partícula por outra corresponde à divisão ou à união das cordas. Por exemplo, nas teorias das partículas concebeu-se a força gravitacional do Sol sobre a Terra como sendo causada pela emissão de um gráviton por uma partícula no Sol e sua absorção por uma partícula na Terra [Figura 11.5]. Na teoria das cordas, esse processo corresponde a um tubo ou cano em forma de H [Figura 11.6] (a teoria das cordas é bem parecida com um encanamento, de certo modo). Os dois lados verticais

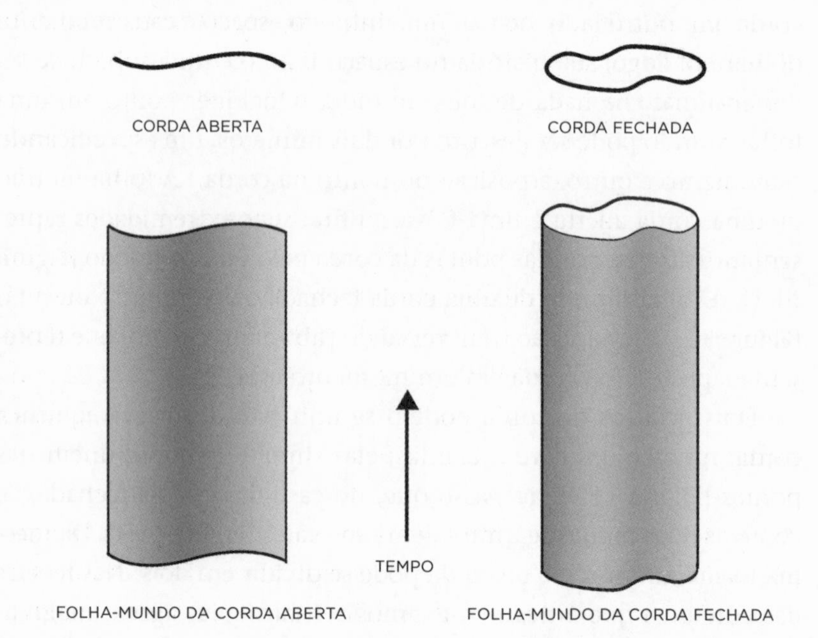

FIGURAS 11.1 E 11.2

do H correspondem às partículas no Sol e na Terra, e a barra horizontal corresponde ao gráviton que viaja entre elas.

A teoria das cordas tem uma história curiosa. Ela foi concebida originalmente no fim da década de 1960 como uma tentativa de encontrar uma teoria para descrever a força forte. A ideia era que podíamos encarar partículas como o próton e o nêutron como ondas em uma corda. As forças fortes entre as partículas corresponderiam a pedaços de corda que ficavam entre outros pedaços de corda, como em uma teia de aranha. Para que essa teoria fornecesse o valor observado da força forte entre as partículas, as cordas tinham de ser como elásticos com tração de cerca de dez toneladas.

Em 1974, Joël Scherk, de Paris, e John Schwarz, do Caltech, publicaram um artigo em que demonstravam que a teoria das cordas podia descrever a força gravitacional, mas apenas se a tensão nas cordas fosse muito mais elevada, com cerca de um bilhão de milhões de milhões de milhões de milhões de milhões de toneladas (1 seguido de 39 zeros). As previsões da teoria das cordas e da relatividade geral seriam exatamente as mesmas em escalas de comprimento normais, mas difeririam em distâncias muito pequenas, de menos de mil milhões de milhões de milhões de milhões de um milionésimo de centímetro (1 centímetro dividido por 1 seguido de 33 zeros). No entanto, o trabalho deles não recebeu muita atenção, porque mais ou menos nessa mesma época a maioria das pessoas abandonou a teoria das cordas original sobre a força forte em favor da teoria baseada em quarks e glúons, que parecia se ajustar muito melhor às observações. Scherk morreu em circunstâncias trágicas (ele era diabético e entrou em coma quando não havia ninguém por perto para lhe aplicar uma injeção de insulina). Assim, Schwarz ficou praticamente sozinho como o único defensor da teoria das cordas, mas a partir daí com um valor proposto de tensão das cordas muito mais elevado.

De repente, em 1984, o interesse nas cordas renasceu, aparentemente por dois motivos. Um era que as pessoas não estavam de

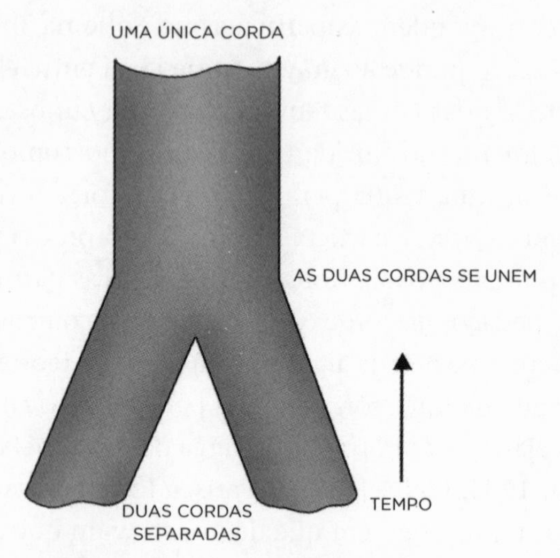

FOLHA-MUNDO DAS DUAS CORDAS ABERTAS SE UNINDO

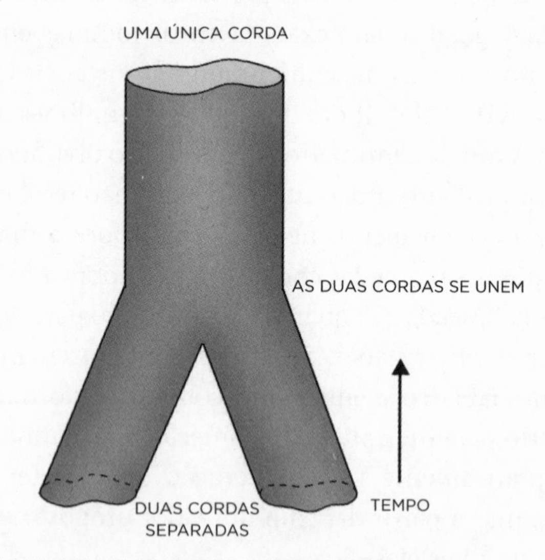

FOLHA-MUNDO DAS DUAS CORDAS FECHADAS SE UNINDO

FIGURAS 11.3 E 11.4

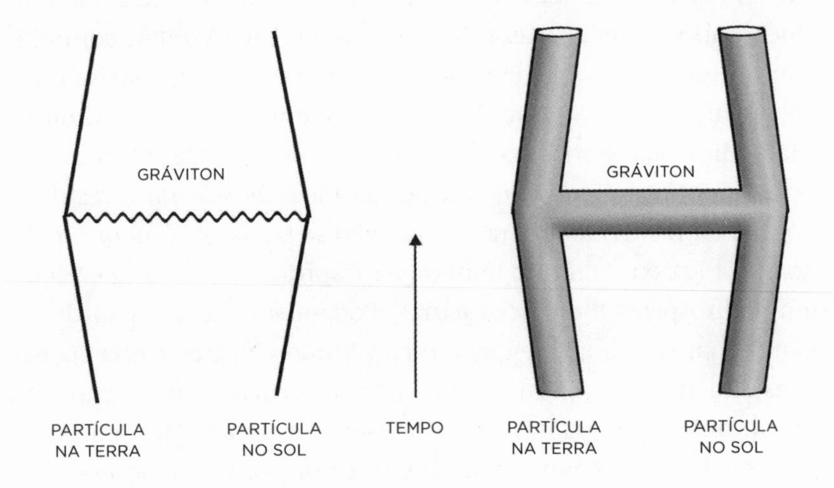

FIGURAS 11.5 E 11.6

fato fazendo grande progresso em demonstrar que a supergravidade era finita ou que ela podia explicar os tipos de partículas observadas. Outro foi a publicação de um artigo de John Schwarz e Mike Green, do Queen Mary College de Londres, mostrando que a teoria das cordas podia explicar a existência de partículas dotadas de uma tendência intrínseca de vibrar para a esquerda, como algumas partículas que observamos. Fossem quais fossem os motivos, um grande número de pessoas começou a trabalhar com a teoria das cordas, e foi desenvolvida uma nova versão, chamada corda heterótica, que parecia capaz de explicar os tipos de partículas que observamos.

As teorias das cordas também levam a infinitos, mas acredita-se que eles se anularão em versões como a teoria heterótica (embora ainda não se tenha certeza disso). As teorias das cordas, contudo, têm um grande problema: elas parecem coerentes apenas se o espaço-tempo possui dez ou 26 dimensões, e não as quatro comuns! Claro, dimensões extras do espaço-tempo são um lugar-comum na ficção científica e constituem a forma ideal de superar a restrição normal da relatividade geral de que não se pode viajar mais rápido do que a luz ou voltar no tempo (ver Capítulo 10). A ideia é tomar um atalho pelas dimensões extras. Podemos conceber isso da seguinte maneira: imagine que o espaço onde vivemos tenha apenas duas dimensões e seja curvado como a superfície de uma argola ou um toroide [Figura 11.7]. Se você estivesse de um lado na borda interior do toroide e quisesse chegar a um ponto do lado oposto, teria de circundar a borda interna. No entanto, se fosse capaz de viajar nas três dimensões, poderia atravessar direto de um lado para o outro.

Por que não percebemos todas essas dimensões extras se elas de fato existem? Por que vemos apenas três dimensões espaciais e uma temporal? A sugestão é que as outras dimensões estão enroladas em um espaço de tamanho minúsculo, algo em torno de um milionésimo de um milionésimo de um milionésimo de um milionésimo de milionésimo de centímetro. Isso é tão pequeno que simplesmente

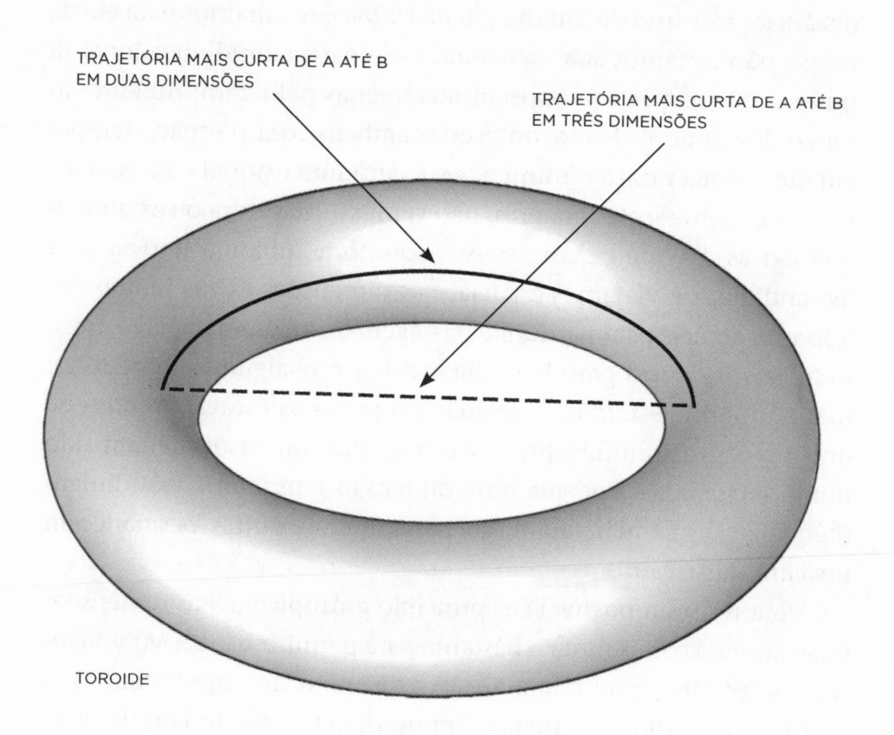
TRAJETÓRIA MAIS CURTA DE A ATÉ B
EM DUAS DIMENSÕES
TRAJETÓRIA MAIS CURTA DE A ATÉ B
EM TRÊS DIMENSÕES
TOROIDE

FIGURA 11.7

não percebemos: vemos apenas uma dimensão temporal e três dimensões espaciais, nas quais o espaço-tempo é razoavelmente plano. É como a superfície de um canudo. Se você o observa de perto, vê que ele é bidimensional (a posição de um ponto no canudo é descrita por duas grandezas: o comprimento ao longo do canudo e a distância em torno da direção circular). Mas, se olhamos para ele de longe, não notamos sua espessura, e ele parece unidimensional (a posição de um ponto é especificada apenas pelo comprimento ao longo do canudo). Isso aconteceria também com o espaço-tempo: em uma escala muito diminuta, ele é decadimensional e muito curvado, mas, em escalas maiores, não vemos a curvatura ou as dimensões extras. Se esse cenário estiver correto, é uma má notícia para os candidatos a viajantes espaciais: as dimensões extras seriam minúsculas demais para permitir a passagem de uma espaçonave. Contudo, suscita outro grande problema. Por que algumas dimensões, mas não todas, estariam enroladas em pequena escala? Presume-se que, no universo muito primitivo, todas as dimensões teriam sido muito recurvadas. Por que uma dimensão temporal e três dimensões espaciais se achataram, ao passo que as outras permanecem bem enroladas?

Uma resposta possível é o princípio antrópico. Duas dimensões espaciais não parecem ser o bastante para permitir o desenvolvimento de seres complexos como nós. Por exemplo, animais bidimensionais vivendo em um planeta Terra unidimensional teriam de subir uns nos outros para se ultrapassarem. Se uma criatura bidimensional comesse algo que não pudesse digerir por completo, teria de devolver os restos da mesma forma que os engoliu, pois, se houvesse uma passagem direta por seu corpo, dividiria a criatura em duas metades: nosso ser bidimensional se desmancharia [Figura 11.8]. Da mesma forma, é difícil ver como poderia haver circulação sanguínea em uma criatura bidimensional.

Também haveria problemas com mais do que três dimensões espaciais. A força gravitacional entre dois corpos diminuiria mais

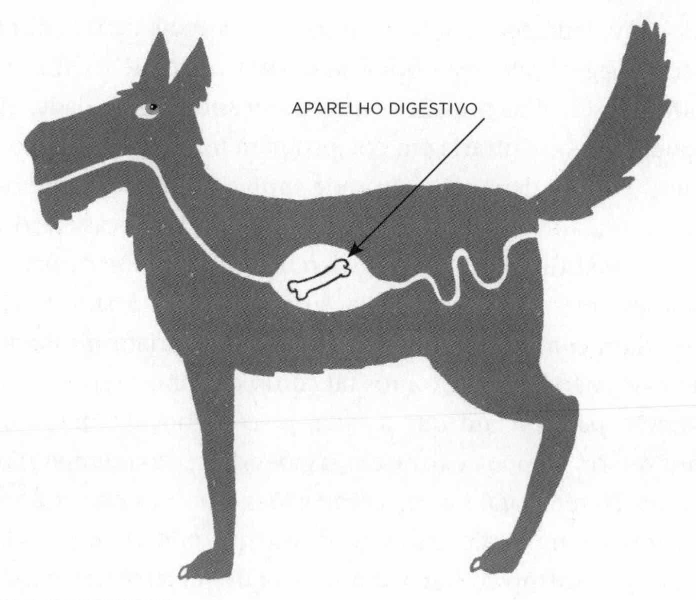

FIGURA 11.8

depressa com a distância do que acontece nas três dimensões. (Em três dimensões, a força gravitacional diminui para 1/4 se dobramos a distância. Em quatro dimensões, ela diminuiria para 1/8, em cinco dimensões, para 1/16, e assim por diante.) O resultado seria que as órbitas dos planetas, como a Terra, em torno do Sol seriam instáveis: a menor perturbação de uma órbita circular (tal como a que seria causada pela atração gravitacional de outros planetas) resultaria na Terra girando para longe ou direto para dentro do Sol. Morreríamos congelados ou queimados. Na verdade, o mesmo comportamento da gravidade em relação à distância em mais de três dimensões espaciais significaria que o Sol não seria capaz de existir em uma condição estável de pressão contrabalançando a gravidade. Ele seria despedaçado ou entraria em colapso para formar um buraco negro. De um jeito ou de outro, não seria muito útil como fonte de calor e luz para a vida na Terra. Em escala menor, as forças elétricas que levam os elétrons a orbitar o núcleo de um átomo se comportariam da mesma maneira que as forças gravitacionais. Assim, os elétrons escapariam completamente dos átomos ou cairiam no núcleo. Em todo caso, não haveria átomos tal como os conhecemos.

Então parece claro que a vida, pelo menos do modo como a conhecemos, só pode existir em regiões do espaço-tempo nas quais a dimensão temporal e as três dimensões espaciais não estão enroladas em pequena escala. Isso significaria que poderíamos apelar para o princípio antrópico fraco, contanto que pudéssemos demonstrar que a teoria das cordas ao menos admite a existência de tais regiões do universo — e parece que de fato ela admite. É perfeitamente possível que haja outras regiões do universo, ou outros universos (o que quer que *isso* signifique), em que todas as dimensões estejam enroladas em pequena escala, ou em que existam mais do que quatro dimensões quase planas, mas não haveria seres inteligentes em tais regiões para observar a quantidade diferente de dimensões efetivas.

Outro problema é que há pelo menos quatro teorias das cordas (uma teoria das cordas abertas e três teorias diferentes de cordas fechadas) e milhões de maneiras nas quais as dimensões adicionais previstas pela teoria das cordas poderiam estar enroladas. Por que escolher apenas uma teoria e um tipo de enrolamento? Por algum tempo, parecia não haver resposta, e o progresso ficou empacado. Então, por volta de 1994, as pessoas começaram a descobrir o que se chamou de dualidades: diferentes teorias das cordas e diferentes maneiras de enrolar as dimensões adicionais podiam levar aos mesmos resultados em quatro dimensões. E, além das partículas, que ocupam um único ponto no espaço, e das cordas, que são linhas, descobriu-se a existência de outros objetos, chamados p-branas, que ocupariam volumes bidimensionais ou de dimensões mais altas no espaço. (Pode-se ver uma partícula como uma 0-brana e uma corda como uma 1-brana, mas havia também p-branas de $p = 2$ a $p = 9$.) Isso parece indicar que há uma espécie de democracia entre as teorias da supergravidade, das cordas e das p-branas: elas parecem se encaixar, mas não podemos afirmar que uma seja mais fundamental do que as outras. Parecem ser aproximações diferentes de alguma teoria fundamental, válidas em situações díspares.

As pessoas têm buscado essa teoria subjacente, mas sem sucesso até o momento. Contudo, acredito que talvez não haja uma única formulação da teoria fundamental, assim como não foi possível formular a aritmética em termos de um conjunto isolado de axiomas, conforme demonstrou Gödel. Em vez disso, talvez seja como os mapas — não se pode usar um único mapa para descrever a superfície da Terra ou um toroide: precisamos de pelo menos dois mapas, no caso da Terra, e de quatro, no caso do toroide, para cobrir todos os pontos. Cada mapa é válido apenas em uma região limitada, mas mapas diferentes terão uma região de sobreposição. A coleção de mapas fornece uma descrição completa da superfície. Do mesmo modo, em física talvez seja necessário usar formulações distintas conforme a situação, mas duas formulações diferentes estariam de acordo em situações nas quais ambas pudessem ser aplicadas. A coleção completa de formulações poderia ser encarada como uma teoria unificada completa, ainda que não pudesse ser expressa como um conjunto único de postulados.

Mas será que pode existir de fato uma teoria unificada? Ou estamos apenas perseguindo uma miragem? Parece haver três possibilidades:

1. Há de fato uma teoria unificada completa (ou uma série de formulações que se sobrepõem) que um dia descobriremos, se formos inteligentes o bastante.
2. Não existe teoria definitiva do universo, apenas uma sequência infinita de teorias que descrevem o universo com precisão cada vez maior.
3. Não há teoria do universo: os eventos só podem ser previstos até certo ponto, e o restante ocorre de maneira aleatória e arbitrária.

Há quem defenda a terceira alternativa, alegando que, se houvesse um conjunto completo de leis, isso infringiria a liberdade divina de mudar de ideia e intervir no mundo. É um pouco como o antigo paradoxo: será que Deus é capaz de criar uma pedra tão pesada que ele próprio não consegue erguê-la? Mas a ideia de que Deus talvez resolva mudar de ideia é um exemplo da falácia, apontada por santo Agostinho, de imaginar Deus como um ser que existe no tempo: o tempo é uma propriedade apenas do universo que Deus criou. Presume-se que ele sabia o que queria quando o concebeu!

Com o advento da mecânica quântica, passamos a reconhecer que não se podem prever os eventos com total precisão e que sempre há um grau de incerteza. Se você preferir, pode atribuir essa aleatoriedade à intervenção divina, mas seria um tipo muito estranho de intervenção: não existe evidência de que tenha algum propósito. Na verdade se tivesse, por definição, não seria aleatória. Em tempos modernos, eliminamos a terceira possibilidade ao redefinir o objetivo da ciência: nossa meta é formular um conjunto de leis que nos permita prever eventos apenas até o limite estabelecido pelo princípio da incerteza.

A segunda possibilidade, de que há uma sequência infinita de teorias cada vez mais refinadas, está de acordo com toda a nossa experiência até o momento. Em muitas ocasiões, aumentamos a sensibilidade de nossas medições ou empreendemos um novo tipo de observação e descobrimos fenômenos não previstos pela teoria existente e, para explicá-los, tivemos de desenvolver uma teoria mais avançada. Logo, não seria muito surpreendente se a geração atual de teorias da grande unificação estivesse errada em alegar que nada essencialmente novo acontecerá entre a energia de unificação eletrofraca de cerca de cem GeV e a energia da grande unificação de cerca de um milhão de bilhões de GeV. Na verdade, podemos descobrir diversas camadas novas de estrutura mais básica do que os quarks e elétrons que hoje vemos como partículas "elementares".

Entretanto, parece que a gravidade pode fornecer um limite para essa sequência de "caixas dentro de caixas". Se tivéssemos uma partícula com energia acima do que chamamos de energia de Planck — dez milhões de milhões de milhões de GeV (1 seguido de dezenove zeros) —, sua massa seria tão concentrada que ela poderia se separar do resto do universo e formar um pequeno buraco negro. Assim, parece que a sequência de teorias cada vez mais aperfeiçoadas deve ter um limite à medida que passamos a energias cada vez maiores, de modo que deve haver uma teoria definitiva do universo. Claro, a energia de Planck está muito longe das energias de cerca de cem GeV, que é o máximo que conseguimos produzir em laboratório até o momento. Sem dúvida não transporemos esse abismo com os aceleradores de partícula em um futuro próximo! Os estágios mais primitivos do universo, porém, são um cenário em que tais energias devem ter ocorrido. Acho que há uma boa chance de o estudo do universo primitivo e as exigências de consistência matemática nos levarem a uma teoria unificada completa ainda durante a vida de alguns de nós que estamos por aqui hoje, sempre presumindo que a humanidade não mandará ela própria pelos ares antes.

Se de fato descobríssemos a teoria final do universo, o que isso significaria? Como expliquei no Capítulo 1, nunca poderíamos ter certeza absoluta de que realmente encontramos a teoria correta, uma vez que teorias não podem ser provadas. No entanto, se a teoria fosse matematicamente coerente e sempre fizesse previsões que coincidissem com as observações, poderíamos ficar razoavelmente confiantes de que ela é a correta. Ela poria fim a um longo e glorioso capítulo na história da luta intelectual da humanidade para compreender o universo. Mas também revolucionaria a compreensão que as pessoas comuns têm das leis que o governam. Na época de Newton, era possível que uma pessoa instruída dominasse a totalidade do conhecimento humano, pelo menos em suas linhas gerais. Mas, desde então, o ritmo em que a ciência se desenvolveu tornou isso impossível. Como as teorias estão sempre sendo modificadas para explicar novas observações, elas nunca são propriamente digeridas ou simplificadas de modo que as pessoas comuns possam entendê-las. É preciso ser um especialista, e, mesmo nesse caso, só se pode esperar ter um domínio apropriado de uma pequena proporção das teorias científicas. Além do mais, a velocidade do progresso é tão alta que o que se aprende na escola ou na universidade está sempre um pouco defasado. Apenas uns poucos são capazes de acompanhar o avanço acelerado da fronteira do conhecimento, e esses têm de devotar todo o seu tempo a isso e se especializar em uma pequena área. O restante da população faz pouca ideia dos novos avanços ou da empolgação que isso gera. Há setenta anos, a se crer nas palavras de Eddington, apenas duas pessoas compreendiam a teoria da relatividade geral. Hoje, dezenas de milhares de alunos de pós-graduação nas universidades a compreendem, e muitos milhões de pessoas estão ao menos familiarizadas com a ideia. Caso se descobrisse uma teoria unificada completa, seria apenas questão de tempo até ela ser digerida e simplificada do mesmo modo e ensinada nas escolas, pelo menos em linhas gerais. Então seríamos capazes, todos nós, de compreender uma parte das leis que governam o universo e são responsáveis por nossa existência.

Mesmo que de fato venhamos a descobrir uma teoria unificada completa, isso não significaria que seríamos capazes de prever os eventos em geral, por dois motivos. O primeiro é a limitação que o princípio da incerteza da mecânica quântica impõe sobre nossa capacidade de previsão. Não há nada que possamos fazer para contornar isso. Na prática, porém, a primeira limitação é menos restritiva do que a segunda. Ela deriva do fato de que não poderíamos resolver as equações da teoria com exatidão, a não ser em situações muito simples. (Não conseguimos resolver com exatidão nem para o movimento de três corpos na teoria da gravitação de Newton, e a dificuldade aumenta com o número de corpos e a complexidade da teoria.) Já conhecemos as leis que governam o comportamento da matéria em todas as condições, exceto as mais extremas. Em particular, conhecemos as leis básicas que governam toda a química e a biologia. E, no entanto, sem dúvida não reduzimos essas disciplinas ao status de problemas solucionados: até o momento, não obtivemos muito sucesso em prever o comportamento humano com base em equações matemáticas! Assim, mesmo que encontremos de fato um conjunto completo de leis básicas, ainda haverá, nos anos vindouros, a tarefa intelectualmente desafiadora de desenvolver métodos de aproximação melhores, de modo que possamos fazer previsões úteis dos resultados prováveis em situações complexas e realistas. Uma teoria unificada consistente e completa é apenas o primeiro passo: nossa meta é a *compreensão* completa dos eventos que nos cercam, bem como de nossa própria existência.

12

CONCLUSÃO

NOSSO MUNDO É UM LUGAR DESCONCERTANTE. QUEREMOS EXTRAIR um sentido do que vemos à nossa volta e perguntar: qual é a natureza do universo? Qual é nosso lugar nele e de onde ele e nós viemos? Por que ele é do jeito que é?

Para tentar responder a essas perguntas, adotamos uma espécie de "imagem do mundo". A torre infinita de tartarugas sustentando a Terra achatada é uma dessas imagens, assim como a teoria das supercordas. Ambas são teorias sobre o universo, embora a última seja muito mais matemática e precisa do que a primeira. Ambas carecem de evidência observacional: ninguém jamais viu uma tartaruga gigante com a Terra nas costas, mas também ninguém jamais viu uma supercorda. No entanto, a da tartaruga não é uma boa teoria científica porque prevê que as pessoas devem ser capazes de cair pela beirada do mundo. A experiência mostra que as coisas não são assim, a menos que venhamos a descobrir que essa é a explicação para as pessoas que supostamente desapareceram no Triângulo das Bermudas!

As primeiras tentativas teóricas de descrever e explicar o universo envolviam a ideia de que os eventos e fenômenos naturais eram controlados por espíritos com emoções humanas que agiam de modo muito humano e imprevisível. Esses espíritos habitavam os objetos naturais, como rios e montanhas, incluindo os corpos celestes, como o Sol e a Lua. Eles tinham de ser aplacados, e era necessário obter sua mercê para assegurar a fertilidade do solo e o ciclo das estações. Pouco a pouco, porém, as pessoas devem ter notado a existência de determinadas regularidades: o Sol sempre nascia a leste e se punha a oeste, tivesse ou não sido feito algum sacrifício ao deus-sol. Além disso, o Sol, a Lua e os planetas seguiam trajetórias precisas no céu, que podiam ser previstas com exatidão considerável. O Sol e a Lua ainda podiam ser deuses, mas obedeciam a leis rígidas, aparentemente sem exceções, se desconsiderarmos histórias como a do Sol parando para Josué.

No início, essas regularidades e leis eram óbvias apenas na astronomia e em algumas outras situações. Entretanto, à medida que a civilização se desenvolveu — e em especial nos últimos trezentos anos —, cada vez mais leis e regularidades foram descobertas. O sucesso dessas leis levou Laplace, no início do século XIX, a postular o determinismo científico; ou seja, ele sugeriu que haveria uma série de leis que determinariam com precisão a evolução do universo, levando em conta sua configuração em certo momento.

O determinismo de Laplace era incompleto de duas maneiras. Ele não dizia como escolher as leis e não descrevia a configuração inicial do universo. Isso caberia a Deus. Deus escolheria como o universo começara e quais leis seriam obedecidas, mas ele não interviria no universo uma vez que este tivesse começado. Na verdade, Deus estava confinado às áreas que a ciência do século XIX não compreendia.

Hoje sabemos que as aspirações deterministas de Laplace não podem ser concretizadas, pelo menos não nos termos que ele tinha em mente. O princípio da incerteza da mecânica quântica implica que não se pode prever determinados pares de grandezas, como a posição e a velocidade de uma partícula, com precisão absoluta. A mecânica quântica lida com essa situação mediante uma classe de teorias quânticas em que as partículas não têm posições e velocidades bem definidas, mas estão representadas por uma onda. Essas teorias quânticas são deterministas no sentido de que fornecem leis para a evolução da onda com o tempo. Assim, se conhecemos a onda em dado momento, podemos calculá-la em qualquer outro. O elemento imprevisível, aleatório, entra em cena apenas quando tentamos interpretar a onda em termos de posições e velocidades das partículas. Mas talvez este seja nosso erro: talvez não existam posições e velocidades da partícula, apenas ondas. Só que tentamos ajustar as ondas a nossas ideias preconcebidas de posições e velocidades. A defasagem resultante é a causa da aparente imprevisibilidade.

Na verdade, redefinimos a tarefa da ciência como a descoberta de leis que nos tornarão capazes de prever eventos dentro dos limites impostos pelo princípio da incerteza. No entanto, a questão permanece: como ou por que as leis e o estado inicial do universo foram escolhidos?

Neste livro, dei destaque especial às leis que governam a gravidade, pois é a gravidade que molda a estrutura em grande escala do universo, ainda que ela seja a mais fraca das quatro categorias de forças. As leis da gravitação eram incompatíveis com a visão mantida até bem recentemente de que o universo é imutável no tempo: o fato de a gravidade sempre exercer atração implica que o universo deve estar se expandindo ou se contraindo. Segundo a teoria da relatividade geral, deve ter havido um estado de densidade infinita no passado, o Big Bang, que teria sido um início do tempo de fato. Do mesmo modo, se o universo inteiro entrar em colapso, deverá haver outro estado de densidade infinita no futuro, o Big Crunch, que seria o fim do tempo. Mesmo que o universo todo não voltasse a entrar em colapso, haveria singularidades em regiões específicas que entrariam em colapso para formar buracos negros. Essas singularidades seriam um fim do tempo para quem caísse no buraco negro. No Big Bang e em outras singularidades, todas as leis seriam suspensas, de modo que Deus ainda teria tido total liberdade para escolher o que aconteceu e como o universo teve início.

Quando combinamos a mecânica quântica com a relatividade geral, parece surgir uma nova possibilidade: a de que, juntos, o espaço e o tempo talvez formem um espaço finito, quadridimensional, sem singularidades ou contornos, como a superfície da Terra, mas com mais dimensões. Parece que essa ideia poderia explicar muitas das características que observamos no universo, como sua uniformidade em grande escala e as inomogeneidades em menor escala, como as galáxias, as estrelas e até os seres humanos. Poderia explicar até a seta do tempo que observamos. Contudo, se o universo for completamente contido em si mesmo, sem singularidades ou contornos, e completamente descrito por uma teoria unificada, isso guarda profundas implicações para o papel de Deus como Criador.

Certa vez, Einstein formulou a pergunta: "Que capacidade de escolha teve Deus na construção do universo?" Se a proposição sem-contorno está correta, ele não teve liberdade alguma em escolher as condições iniciais. No entanto, ele ainda teria tido a liberdade de escolher as leis a que o universo obedeceria, é claro. Todavia, talvez isso não tenha sido bem uma escolha; pode muito bem haver apenas uma teoria unificada completa, ou algumas, como a teoria das cordas heterótica, que é coerente e permite a existência de estruturas complexas como os seres humanos, seres capazes de investigar as leis do universo e fazer perguntas sobre a natureza de Deus.

Mesmo que haja uma única teoria unificada possível, ela não passa de um conjunto de regras e equações. Que coisa é essa que insufla vida às equações e cria um universo para que elas o descrevam? A abordagem científica habitual de construir um modelo matemático não dá conta de responder por que deve haver um universo para ser descrito. Por que o universo tem todo esse trabalho de existir? A teoria unificada é tão inescapável que suscita sua própria existência? Ou ela precisa de um criador? Se for o caso, ele exerce algum outro efeito no universo? E quem o criou?

Até o momento, a maioria dos cientistas tem andado ocupada demais elaborando novas teorias para descrever *o que* o universo é para poder perguntar *por quê*. Em contrapartida, aqueles cujo ofício seria perguntar *por quê*, os filósofos, não foram capazes de acompanhar o avanço das teorias científicas. No século XVIII, eles consideravam a totalidade do conhecimento humano, incluindo a ciência, como seu campo de atuação e debatiam questões como se o universo teve um início. Entretanto, nos séculos XIX e XX, a ciência se tornou técnica e matemática demais para os filósofos, ou para qualquer um, com exceção de uns poucos especialistas. Os filósofos reduziram o escopo de seus questionamentos de tal maneira que Wittgenstein, o filósofo mais famoso do século XX, disse: "A única tarefa que resta à filosofia é a análise da linguagem." Que vergonha para a grande tradição filosófica de Aristóteles a Kant!

No entanto, se de fato descobrirmos uma teoria completa, todos acabarão compreendendo seus princípios amplos, não apenas alguns cientistas. Então, deveremos todos — filósofos, cientistas e pessoas comuns — ser capazes de tomar parte na discussão para saber o porquê de nós e o universo existirmos. Se descobrirmos a resposta para isso, será o triunfo supremo da razão humana — pois, então, conheceremos a mente de Deus.

ALBERT EINSTEIN

A relação de Einstein com o contexto político da bomba nuclear é bem conhecida: ele assinou a famosa carta para o presidente Franklin Roosevelt que persuadiu os Estados Unidos a levar essa possibilidade a sério e, no pós-guerra, se empenhou em impedir a guerra nuclear. Mas essas não foram apenas ações isoladas de um cientista arrastado para o mundo da política. Na verdade, a vida de Einstein foi, em suas próprias palavras, "dividida entre a política e as equações".

O ativismo político de Einstein começou durante a Primeira Guerra Mundial, quando ele era professor em Berlim. Revoltado com o que via como um desperdício de vidas humanas, ele se envolveu nas manifestações contra a guerra. Sua defesa da desobediência civil e declarações públicas incentivando a recusa do alistamento obrigatório pouco fizeram por sua imagem junto a seus pares. Então, após a guerra, ele direcionou seus esforços à reconciliação e à melhoria das relações internacionais. Isso também não contribuiu para sua popularidade, e não tardou para que sua posição política lhe criasse dificuldades para visitar os Estados Unidos, mesmo para dar palestras.

A outra grande causa de Einstein foi o sionismo. Embora fosse judeu por descendência, Einstein rejeitava a ideia bíblica de Deus. Todavia, uma consciência crescente do antissemitismo, tanto antes da Primeira Guerra Mundial como durante o conflito, aos poucos o levou a se identificar com a comunidade judaica e, mais tarde, a se tornar um franco defensor do sionismo. Mais uma vez, a impopularidade de suas ações não o impediu de dizer o que pensava. Suas teorias foram atacadas; criou-se até uma organização anti-Einstein. Um homem foi condenado por incitar outros a assassinar o físico (e recebeu uma pífia multa de 6 dólares). Mas Einstein não perdeu a fleuma. Quando se publicou um livro intitulado *100 autores contra Einstein*, ele replicou: "Se eu estivesse errado, bastaria um!"

Em 1933, Hitler subiu ao poder. Einstein estava nos Estados Unidos e declarou que não voltaria à Alemanha. Então, quando a milícia nazista invadiu sua casa e confiscou sua conta bancária, um jornal de Berlim exibiu a manchete: "Einstein dá boa notícia — Ele não voltará." Em face da ameaça nazista, ele renunciou ao pacifismo e, por fim, receando que os cientistas alemães construíssem uma bomba nuclear, propôs que os Estados Unidos desenvolvessem a sua. Mas, mesmo antes de a primeira bomba atômica ser detonada, ele alertava publicamente sobre os perigos da guerra nuclear e propunha o controle internacional do arsenal nuclear.

Durante toda a sua vida, os esforços de Einstein pela paz provavelmente conquistaram poucos resultados duradouros — e decerto lhe renderam poucos amigos. Seu apoio veemente à causa sionista, porém, foi reconhecido em 1952, quando lhe ofereceram a presidência de Israel. Ele declinou, afirmando que se achava ingênuo demais em política. Contudo, talvez seu verdadeiro motivo fosse outro. Cito-o mais uma vez: "Equações são mais importantes para mim, pois a política existe para o presente, ao passo que uma equação existe para a eternidade."

GALILEU GALILEI

Galileu, talvez mais do que qualquer outro indivíduo, foi o responsável pelo nascimento da ciência moderna. Seu famoso conflito com a Igreja Católica foi central para sua filosofia, pois Galileu foi um dos primeiros a argumentar que o homem podia ter esperança de compreender como o mundo funciona e, além disso, que faríamos isso observando o mundo real.

Galileu acreditara na teoria copernicana (de que os planetas orbitam o Sol) desde o início, mas só começou a defendê-la publicamente quando descobriu as evidências necessárias para apoiar tal ideia. Escreveu sobre a teoria de Copérnico em italiano (não no latim acadêmico, como seria o costume), e não tardou para que suas opiniões fossem amplamente apoiadas fora das universidades. Isso irritou os professores aristotélicos, que se uniram contra ele, procurando convencer a Igreja Católica a banir as ideias de Copérnico.

Preocupado, Galileu viajou a Roma para conversar com as autoridades eclesiásticas. Ele argumentou que não era função da Bíblia nos dizer coisa alguma sobre teorias científicas e que era normal presumir que, nos pontos em que a Bíblia conflitava com o senso comum, ela estivesse sendo alegórica. No entanto, a Igreja temia um escândalo que pudesse solapar sua luta contra o protestantismo e, assim, tomou medidas repressivas. Em 1616 ela decretou o copernicanismo "falso e errôneo" e ordenou que Galileu nunca mais "defendesse ou apoiasse" a doutrina. Galileu obedeceu.

Em 1623, um amigo de longa data do físico se tornou papa. Galileu pleiteou de imediato a revogação da bula de 1616. Ele fracassou, mas obteve permissão para escrever um livro no qual discutiria tanto as teorias aristotélicas como as copernicanas, sob duas condições: não tomar partido de nenhum dos lados e concluir que, nos dois casos, o homem era incapaz de determinar como o mundo funcionava, pois Deus podia criar os mesmos efeitos de maneiras inimagináveis para o homem, que não tinha capacidade para impor restrições à onipotência divina.

O livro, *Diálogo sobre os dois principais sistemas do mundo*, foi finalizado e publicado em 1632, com o *imprimatur* dos censores — e logo foi saudado por toda a Europa como uma obra-prima literária e filosófica. Não demorou para que o papa, percebendo que as pessoas viam o livro como um argumento convincente em favor das ideias copernicanas, se arrependesse de ter permitido a publicação. Ele argumentou que, embora a obra contasse com a sanção oficial dos censores, Galileu tinha infringido a bula de 1616. Então convocou Galileu perante a Inquisição, que o sentenciou à prisão domiciliar pelo resto da vida e lhe ordenou que renunciasse publicamente ao copernicanismo. Pela segunda vez, Galileu obedeceu.

Galileu permaneceu um católico fiel, mas sua crença na independência da ciência não fora destruída. Quatro anos antes de sua morte, em 1642, ainda em prisão domiciliar, o manuscrito de seu segundo grande livro foi levado clandestinamente para um editor na Holanda. Foi essa obra — conhecida como *Duas novas ciências* —, ainda mais do que seu apoio a Copérnico, que representou a gênese da física moderna.

ISAAC NEWTON

Isaac Newton não era um homem agradável. Suas relações com outros acadêmicos eram notórias, e ele passou a maior parte de seus últimos anos envolvido em disputas acaloradas. Após a publicação dos *Principia Mathematica* — sem dúvida, o livro mais influente já escrito na física —, Newton ascendeu rapidamente à proeminência pública. Foi indicado para a presidência da Royal Society e se tornou o primeiro cientista da história a receber a condecoração de cavaleiro.

Newton não demorou a bater de frente com o astrônomo real, John Flamsteed, que lhe fornecera muitos dados para os *Principia*, mas que passou a negar as informações que Newton pedia. Newton não aceitaria um não como resposta: ele nomeou a si mesmo membro do corpo diretivo do Observatório Real e, então, tentou obrigar a publicação imediata dos dados. No fim, conseguiu que o trabalho de Flamsteed fosse apreendido e preparado para publicação pelo inimigo mortal deste, Edmond Halley. Mas Flamsteed levou o caso aos tribunais e, em um piscar de olhos, obteve uma ordem judicial que proibia a distribuição do trabalho roubado. Newton ficou furioso e tentou se vingar apagando sistematicamente todas as referências a Flamsteed em edições posteriores dos *Principia*.

Uma disputa mais séria travada com o filósofo alemão Gottfried Leibniz. Ambos haviam desenvolvido de forma independente um ramo da matemática chamado cálculo, que está na base da maior parte da física moderna. Embora hoje saibamos que Newton descobriu o cálculo anos antes de Leibniz, ele publicou seu trabalho bem mais tarde. Seguiu-se uma grande disputa acerca de quem fora o primeiro, e cientistas defendiam os dois lados com vigor. É notável, porém, que a maior parte dos artigos surgidos em defesa de Newton fosse originalmente escrita de seu próprio punho — e apenas publicada com o nome de amigos! À medida que a disputa se agravava, Leibniz cometeu o erro de apelar à Royal Society para resolver a questão. Newton, como presidente, designou um comitê "imparcial" que consistia, por acaso, apenas de seus amigos! Mas isso não foi tudo: o próprio Newton redigiu o relatório do comitê e o publicou pela Royal Society, acusando Leibniz oficialmente de plágio. Não satisfeito, escreveu em seguida uma resenha anônima sobre o relatório no periódico da própria Royal Society. Após a morte do filósofo alemão, dizem que Newton declarou ter experimentado grande satisfação em "partir o coração de Leibniz".

Durante o período dessas brigas, Newton já tinha deixado Cambridge e a vida acadêmica. Ele havia sido ativo na política anticatólica em Cambridge e, mais tarde, no Parlamento, e foi recompensado com o lucrativo cargo de diretor da Casa da Moeda. Nessa atribuição, valeu-se de seus talentos maquiavélicos e beligerantes de uma maneira socialmente mais aceitável, conduzindo com êxito uma grande campanha contra a falsificação na qual chegou até a mandar vários homens para a forca.

GLOSSÁRIO

Aceleração Taxa em que a velocidade de um objeto muda.

Acelerador de partículas Máquina que, por meio de eletroímãs, pode acelerar partículas carregadas em movimento, dando-lhes mais energia.

Anã branca Estrela fria estável, sustentada pela repulsão do princípio de exclusão entre os elétrons.

Antipartícula Cada tipo de partícula de matéria tem uma antipartícula específica correspondente. Quando uma partícula colide com sua antipartícula, elas se aniquilam, deixando apenas energia como resíduo.

Átomo Unidade básica da matéria comum, composta de um minúsculo núcleo (constituído de prótons e nêutrons) cercado por elétrons em órbita.

Big Bang A singularidade no início do universo.

Big Crunch A singularidade no fim do universo.

Buraco de minhoca Um tubo fino de espaço-tempo que liga regiões distantes do universo. Também conduz a universos paralelos ou universos-bebês e talvez constitua uma possibilidade de viagem no tempo.

Buraco negro Região do espaço-tempo da qual nada, nem a luz, pode escapar, porque a gravidade é forte demais.

Buraco negro primordial Buraco negro criado no universo muito primitivo.

Campo Algo que existe por todo o espaço e o tempo, em oposição a uma partícula, que existe em apenas um ponto de cada vez.

Campo magnético Campo responsável pelas forças magnéticas, atualmente incorporado ao campo elétrico, no campo eletromagnético.

Carga elétrica Propriedade de uma partícula pela qual ela pode repelir (ou atrair) outras partículas que têm carga de sinal semelhante (ou oposto).

Comprimento de onda Para uma onda, a distância entre duas cristas ou dois vales.

Condição sem-contorno A ideia de que o universo é finito mas não possui contorno (no tempo imaginário).

Cone de luz Superfície no espaço-tempo que assinala as direções possíveis para os raios de luz que passam por determinado evento.

Conservação da energia Lei da ciência que afirma que a energia (ou seu equivalente em massa) não pode ser criada nem destruída.

Constante cosmológica Artifício matemático usado por Einstein para proporcionar ao espaço-tempo uma tendência intrínseca à expansão.

Coordenadas Números que especificam a posição de um ponto no espaço e no tempo.

Cosmologia Estudo do universo como um todo.

Cromodinâmica quântica (QCD) Teoria que descreve as interações de quarks e glúons.

Desvio para o vermelho O avermelhamento da luz de uma estrela que está se afastando de nós, devido ao efeito Doppler.

Dimensão espacial Qualquer uma das três dimensões com propriedades espaciais — ou seja, todas, exceto a dimensão do tempo.
Dualidade onda/partícula Conceito da mecânica quântica de que não há distinção entre ondas e partículas; às vezes, as partículas podem se comportar como ondas, e as ondas, como partículas.
Dualidade Uma correspondência entre teorias aparentemente díspares que leva aos mesmos resultados físicos.
Efeito Casimir Pressão atrativa entre duas placas de metal planas e paralelas colocadas muito próximas uma da outra no vácuo. A pressão se deve a uma redução na quantidade normal de partículas virtuais no espaço entre as placas.
Elétron Partícula com carga elétrica negativa que orbita o núcleo de um átomo.
Energia da grande unificação Energia acima da qual se acredita que a força eletromagnética, a força fraca e a força forte se tornam indistinguíveis umas das outras.
Energia de unificação eletrofraca Energia (por volta de cem GeV) acima da qual a distinção entre a força eletromagnética e a força fraca desaparece.
Espaço-tempo O espaço quadridimensional cujos pontos são eventos.
Espectro As frequências que compõem uma onda. A parte visível do espectro solar pode ser vista em um arco-íris.
Estado estacionário Estado que não muda com o tempo: uma esfera girando a velocidade constante está estacionária porque parece idêntica a qualquer momento.
Estrela de nêutrons Uma estrela fria, sustentada pela repulsão do princípio de exclusão entre nêutrons.
Evento Ponto no espaço-tempo especificado por seu momento e lugar.
Fase Para uma onda, é a posição em seu ciclo em um momento específico: a medida pela qual se determina se está em uma crista, em um vale ou em algum ponto intermediário.

Força eletromagnética Força que surge entre partículas com carga elétrica; a segunda mais forte entre as quatro forças fundamentais.

Força forte A mais forte entre as quatro forças fundamentais, com o menor alcance de todas. É o que mantém os quarks unidos dentro dos prótons e nêutrons e os prótons e nêutrons unidos para formar os átomos.

Força fraca A segunda mais fraca entre as quatro forças fundamentais, de alcance muito curto. Afeta todas as partículas de matéria, mas não as partículas mediadoras de força.

Fóton Um quantum de luz.

Frequência Para uma onda, o número de ciclos completos por segundo.

Fusão nuclear Processo pelo qual dois núcleos colidem e se fundem para formar um único núcleo, mais pesado.

Geodésica A trajetória mais curta (ou mais longa) entre dois pontos.

Horizonte de eventos A fronteira de um buraco negro.

Limite de Chandrasekhar Maior massa possível de uma estrela fria estável, acima da qual ela deve entrar em colapso para formar um buraco negro.

Massa A quantidade de matéria de um corpo; sua inércia, ou resistência à aceleração.

Matéria escura A matéria em galáxias, aglomerados e, possivelmente, entre os aglomerados que não pode ser identificada por observação direta, mas por seu efeito gravitacional. Até 90% da massa do universo pode estar na forma de matéria escura.

Mecânica quântica Teoria desenvolvida a partir do princípio quântico de Planck e do princípio da incerteza de Heisenberg.

Neutrino Partícula extremamente leve (talvez sem massa) que é afetada apenas pela força fraca e pela força da gravidade.

Nêutron Partícula sem carga, muito semelhante ao próton, que corresponde aproximadamente a metade das partículas em um núcleo atômico.

Núcleo Parte central de um átomo que consiste apenas de prótons e nêutrons, os quais se mantêm unidos pela força forte.
Partícula elementar Partícula que, segundo se acredita, não pode ser subdividida.
Partícula virtual Na mecânica quântica, é a partícula que nunca pode ser detectada diretamente, mas cuja existência tem efeitos mensuráveis.
Peso A força que um campo gravitacional exerce sobre um corpo. É proporcional, mas não igual, à massa.
Ponte de Einstein-Rosen Um fino tubo de espaço-tempo ligando dois buracos negros. *Ver também* buraco de minhoca.
Pósitron A antipartícula (de carga positiva) do elétron.
Princípio antrópico Vemos o universo da maneira como ele é porque, se ele fosse diferente, não estaríamos aqui para observá-lo.
Princípio da exclusão A ideia de que duas partículas idênticas de *spin* ½ não podem ter (dentro dos limites impostos pelo princípio da incerteza) a mesma posição e a mesma velocidade.
Princípio da incerteza Princípio formulado por Heisenberg de que nunca podemos ter certeza exata ao mesmo tempo sobre a posição e a velocidade de uma partícula; quanto maior a precisão com que sabemos um valor, menos preciso será o outro.
Princípio quântico de Planck A ideia de que a luz (ou qualquer outra onda clássica) pode ser emitida ou absorvida apenas em quanta discretos, cuja energia é proporcional a sua frequência.
Proporcional "X é proporcional a Y" significa que, quando Y é multiplicado por qualquer número, X também o é. "X é inversamente proporcional a Y" significa que, quando Y é multiplicado por qualquer número, X é dividido por esse número.
Próton Partícula de carga positiva, muito semelhante ao nêutron, e que corresponde aproximadamente a metade das partículas no núcleo da maioria dos átomos.
Pulsar Estrela de nêutrons em rotação que emite pulsos regulares de ondas de rádio.

Quantum Unidade indivisível em que as ondas podem ser emitidas ou absorvidas.

Quark Partícula elementar (carregada) sensível à força forte. Prótons e nêutrons são compostos de três quarks cada.

Radar Sistema que usa ondas de rádio pulsantes para detectar a posição de objetos ao medir o tempo que um único pulso leva para atingir o objeto e ser refletido.

Radiação cósmica de fundo em micro-ondas A radiação provocada pela incandescência do universo primitivo quente, hoje tão desviada para o vermelho que aparece não mais como luz, mas como micro-ondas (ondas de rádio com comprimento de onda de alguns centímetros). *Ver também* Cobe, na página 176.

Radioatividade Desintegração espontânea de um tipo de núcleo atômico originando outro.

Raios gama Raios eletromagnéticos de comprimento de onda muito curto, produzidos no decaimento radioativo ou por colisões de partículas elementares.

Relatividade geral A teoria de Einstein baseada na ideia de que as leis da ciência devem ser as mesmas para todos os observadores, independentemente de como estejam se movendo. Ela explica a força da gravidade em termos da curvatura de um espaço-tempo quadridimensional.

Relatividade restrita Teoria de Einstein baseada na ideia de que as leis da ciência devem ser as mesmas para todos os observadores, independentemente de como estes estão se movendo, na ausência de fenômenos gravitacionais.

Segundo-luz (ano-luz) Distância percorrida pela luz em um segundo (ano).

Singularidade Ponto em que a curvatura do espaço-tempo se torna infinita.

Singularidade nua Singularidade no espaço-tempo que não é cercada por um buraco negro.

Spin Uma propriedade interna das partículas elementares, ligada, mas não idêntica, ao conceito de giro.

Tempo imaginário O tempo medido utilizando-se números imaginários.

Teorema da singularidade Teorema que mostra que uma singularidade precisa existir sob determinadas circunstâncias — em particular, a de que o universo deve ter começado com uma singularidade.

Teoria da grande unificação (GUT) Teoria que unifica as forças eletromagnética, forte e fraca.

Teoria das cordas Teoria da física na qual as partículas são descritas como ondas em cordas. As cordas têm comprimento, mas nenhuma outra dimensão.

Zero absoluto Menor temperatura possível, na qual as substâncias não contêm energia térmica alguma.

AGRADECIMENTOS

Muitas pessoas me ajudaram a escrever este livro. Meus colegas cientistas foram todos, sem exceção, inspiradores. Ao longo dos anos, meus principais parceiros e colaboradores foram Roger Penrose, Robert Geroch, Brandon Carter, George Ellis, Gary Gibbons, Don Page e Jim Hartle. Devo-lhes muito, bem como a meus alunos pesquisadores, que sempre me ajudaram quando precisei.

Um de meus alunos, Brian Whitt, prestou-me imensa ajuda redigindo a primeira edição deste livro. Meu editor na Bantam Books, Peter Guzzardi, fez inúmeros comentários que melhoraram bastante a obra. Além disso, gostaria de agradecer a Andrew Dunn, que me ajudou a revisar o texto para esta edição.

Eu não conseguiria escrever este livro sem meu sistema de comunicação. O software, chamado Equalizer, foi doado por Walt Waltosz, da Words Plus Inc., em Lancaster, Califórnia. Meu sintetizador de fala foi doado pela Speech Plus, de Sunnyvale, Califórnia.

O sintetizador e o laptop foram acoplados à minha cadeira de rodas por David Mason, da Cambridge Adaptive Communication Ltd. Com esse sistema, posso me comunicar melhor agora do que antes de ter perdido a voz.

Tive diversas secretárias e assistentes ao longo dos anos em que escrevi e revisei este livro. Quanto às secretárias, sou muito grato a Judy Fella, Ann Ralph, Laura Gentry, Cheryl Billington e Sue Masey. Meus assistentes foram Colin Williams, David Thomas, Raymond Laflamme, Nick Phillips, Andrew Dunn, Stuart Jamieson, Jonathan Brenchley, Tim Hunt, Simon Gill, Jon Rogers e Tom Kendall. Eles, minhas enfermeiras, colegas, amigos e família permitiram que eu vivesse uma vida plena e prosseguisse com minha pesquisa a despeito de minha deficiência.

Stephen Hawking

ÍNDICE

1ª edição	JANEIRO DE 2015
reimpressão	OUTUBRO DE 2018
impressão	CROMOSETE
papel de miolo	PÓLEN SOFT 70G/M2
papel de capa	CARTÃO SUPREMO ALTA ALVURA 250G/M2
tipografia	ITC STONE SERIF STD